清 陳鏡伊編

道德叢書 之六

法曹圭臬

審檢官
椽屬
獄官
律師

世界書局

法曹圭臬

法曹圭臬　道德叢書之六

江蘇海門陳鏡伊編

目次

第一篇　審檢官

第一章　仁德類

第二章　廉明類

第三章　貪酷類

第二篇　椽屬

書記吏胥

第一章　善例

焚卷全人
出錢救人
體恤保全
却金伸冤　二則
救冤拒色　三則
救冤興家
委曲活囚
盡力平反
治獄慈愼

焚冊救人
息獄寧人　二則
死案求生　二則
忤旨伸冤
救冤聯捷
活囚種德　二則
救濟囚徒
治獄仁恕
按法平允

宿獄探情　囚爲禮佛

仁術恤人　拾金不昧

第二章　惡例

輕傳婦女　拘經臆斷

臆斷失出　受賄入重

受賄陷人　助成大獄

逢迎助惡　枉斷奪兒

枉斷減算　曲案寃報

嚇詐妄取　唆盜誣詐

無惡不作　迫姦囚婦

捏傷朦驗

第三篇　獄官

矜恤獄囚　四則
侮辱獄囚
不淫女囚
拒賄護囚

第四篇　律師

第一章　善例

解救冤苦
不肯枉造
全人手足
悔過免禍

第二章　惡例

法曹圭臬

道德叢書之六

江蘇海門陳鏡伊編

第一篇　審檢官

第一章　仁德類

感化息訟（一）

魯恭爲中牟令，專尙敎化，不任刑罰，口無惡言，吏民親愛而不忍欺。有爭田者，累數令不能決，恭爲評理，皆退而自責，以田相讓。亭長借人牛不肯歸，牛主訟之，恭勑使歸牛，至再三，猶不肯。恭太息曰：「敎化不行矣。」解印綬欲去，掾吏共泣涕留，亭長乃慚悔詣獄請罰。釋不問。於是人皆感泣。教化大行。

感化息訟（二）

劉矩爲雍邱令。凡有爭訟者至。卽引於庭。提耳訓誨。勸以忿恚可忍。公庭決不可入。或使歸更思。訟者感悟。罷去。大化其俗。民歸於厚。至於上下文書。有連及老小婦女。一槪不行。爲民挽回上官時亦感悟。知其慈愛。而後亦無勾攝也。民益賴之。

感化息訟（三）

魏于義爲武安太守。專崇教化。郡人張善安王叔兒爭財相訟。義曰「太守德薄所致」。乃以家財分與二人。喻而遣去。安等各懷愧恥。不敢受。移居他州。于是風化大洽。

感化息訟（四）

南宋王志爲宣城太守。淸謹有惠政。郡人張倪吳慶爭田不決。志到官。父老相謂曰：「王府君有德政。吾鄉里乃有此爭。」倪慶因相攜請罪。所訟田遂爲閒田。

德化囚徒

范純仁知慶州。諸縣罪人皆滿。公曰：「何不責保在外。」判司曰：「此輩多屠販盜竊。釋之必復紊官司。待其斃獄。是亦爲民除害耳。」公蹙然曰：「法不當死。在位以情殺之。豈理耶。」遂呼至庭下。戒之曰：「爾等爲惡不悛。在位懼爲民累。復紊官司。故久繫爾獄。汝等能改過。我便放汝。」衆叩頭曰：「敢不服教。」遂令釋之。歡呼而出。轉相告語。是歲犯法減舊歲之半。

全人骨肉（一）

北史張蕘年爲汝南太守郡人劉宗之兄弟分析家貧惟一牛爭不能決訟于郡蕘年悽而謂曰：「汝曹以一牛故致競脫有二牛必不爭」乃以己牛一頭賜之于是郡中各相戒約咸敦敬讓

全人骨肉（二）

齊書循吏傳蘇瓊遷淸河太守普明兄弟爭田積年不斷各相援據乃至百人瓊召而諭之曰：「天下難得者兄弟易求者田地倘得田地失兄弟心如何」因而泣下普明兄弟叩頭乞外更思分異十年遂還同住

全人骨肉（三）

唐韋景駿爲貴鄉令有母子相訟者景駿曰：「令少不天常自痛爾幸有親而忘孝邪教之不孚令之罪也」因嗚咽流涕付授孝

經。使習大義。於是。母子。感悟。請自新。遂爲孝子。（唐書循吏傳）

全人骨肉（四）

仇香爲蒲亭長。有陳元者。其母詣香告不孝。香驚曰。「吾昔過元舍。廬落整頓。耕耘以時。此非惡人。當教化未至耳。母守寡養孤。奈何以一旦之忿。棄歷年之勤。且母養孤。如不能終。何以對死者乎」母感悟。香諭元以大義。元泣涕謝。卒成孝子。

全人骨肉（五）

宋呂陶令銅梁。民龐氏姊妹三人。冒隱幼弟田。弟壯。愬於陶。陶窘明。弟泣拜謝。願以田半作佛事以報。陶諭之曰。「三姊皆汝同氣與其捐半供佛。曷若遺姊」弟聽命。姊與弟皆感德而去。後陶位至中丞。

仝人骨肉（六）

金史鄭留爲順義節度使。李安兄弟爭財。鄭月餘不問。會釋奠孔子廟。鄭乃引安兄弟與諸生列坐。陳說古之友悌數事。兄弟感悟。謝去。誓不復爭。

仝人骨肉（七）

元呂思誠尹景州。民李懇訟其弟盜羊。思誠叱之退。有王喬者兄弟友愛。思誠造其家。取酒勸酬。歡如骨肉。李懇兄弟聞之皆悔悟。析居二十年。復還同爨。

仝人骨肉（八）

顧涇陽先生司理處州。有兄弟爭訟。數年不決者。先生呼謂之曰：「汝兩手兩足相爭否。兄弟手足也。而相爭。非怪事乎。而恬不以爲怪何也既相爭自相治可也」各授之杖謂其兄曰「爲我撲爾弟」又謂其弟曰「爲我撲爾兄」兩人相顧愕然涇陽故促之兩人叩頭請曰「昔者官爲析曲直故不服今服矣不知曲直也願得自新」乃令兄弟相揖而歸

决獄仁恕（一）

後漢郭躬爲廷尉决獄多矜恕條諸重文可从輕者百十一事奏之著于令初躬父郭宏爲郡决獄曹椽斷獄三十年用法平民爲宏所决者退無怨子孫至公侯者四人刺史及中郎將者二十餘人

决獄仁恕（二）

唐崔仁師定州人貞觀元年改殿中侍御史靑州有謀反者逮繫

滿獄。詔仁師覆按之。仁師至。悉脫去扭械。與飲食湯沐。寬慰之。止坐其魁首十餘人。餘皆釋之。還報。大理少卿孫伏伽謂曰：「足下平反者多。人情貪生。恐見徒侶得免。未肯甘心耳。」仁師曰：「治獄當以平恕為本。豈可自規免罪。知其冤而不為伸邪。萬一誤有所縱。以一身易十四之死。亦所願也。」及敕使至。更訊諸囚。皆曰：「崔公平恕。事無枉濫。」無一人異辭者。（唐紀事本末）

決獄仁恕（三）

宋歐陽觀為推官。留心讞獄。嘗夜治官書。屢廢而歎。夫人問之。曰：「此死獄也。我求其生不得耳。」夫人曰：「生可求乎？」曰：「可求。生其而不得。則死者與我皆無憾。」公即歐陽修之父也。

決獄仁恕（四）

趙獻按江夏夜閱文書。撫案。太息。憂形於色。夫人問之曰：「今歲終決大辟。我筆一下。死生判矣。是以慘沮。筆不能下。」

決獄仁恕（五）

明邢寬無爲州人。祖父皆爲法司。每爲囚求生道。曰：「與其殺不辜。寧失不經。」人皆感之。後生寬。穎敏。力學。登永樂甲辰第。及廷對。初擬王日恭第一。上以日恭爲暴字。意不懌。及見寬名。甚喜。擢第一。一時稱爲異數。

決獄仁恕（六）

王文博爲政平恕。嘗謂諸子曰：「吾生平決罪至流刑。未嘗不陰擇善水土處。夫流刑之罪。朝廷已貸其生矣。置之生地而不能生。其與大辟何異。」又曰：「官府一點硃。百姓一點血。一役方來全家盡駭片紙一至舉室皆驚故簽票最宜謹慎（當行事件。即時辦結。無關之人。立刻釋放。延遲拖累。糜費需索。賣兒鬻女。慘不忍言。）

決獄仁恕（七）

楊旬爲夔州推司處心正直積累陰功有子名椿年二十四大魁天下夔州使君聞之請旬來令旬解職旬曰『某奉公四十年家無餘貲惟積陰功留下三箇慳囊乞台旨取來開看』第一箇有三十九文當三錢第二箇有四千餘文折二錢第三箇有萬箇小錢使君問故旬曰『每決獄囚但遇吏胥入輕爲重者旬爲小心平反之或從死罪改爲流罪即投一當三錢或從流罪改爲杖罪即投一折二錢或從杖罪改放便投一小錢今日旬男得大魁天下皆平日行善所致也敢舍公門而自放逸哉』噫公門好修行

此語眞可勸世也。

愼于用刑（一）

宋王欽若之祖郁。爲濠州判官。將死。告家人曰「吾歷官踰五十年。愼于用刑。活人多矣。後必有興者。其在吾孫乎」後欽若爲司徒。封公。

愼于用刑（二）

胡端敏公曰「問刑不難於招。而難於審情。若欲得情。必須明理」其後居刑曹八載。每見同寮嚴刑訊囚。多不輸服。曰「吾終日或不撻一人。而情常先得」蓋虛心察理。視民如傷。故民多感服也。

不用捶撻

唐刑部尙書李日知在官。不行捶撻而事集。刑部有令吏受敕三日忘不行日知怒索杖集羣吏欲捶之既而謂曰『我欲捶汝天下人必謂汝能撩李日知嗔受李日知杖不得比於人妻子亦將棄汝矣』遂釋之吏皆感悅無敢犯者脫有稽失衆共謫之（唐資治通鑑）

蒲鞭示辱

漢劉寬典歷三郡溫仁多恕吏人有過但以蒲鞭示辱事有功善推之自下見父老慰以農田之言少年勉以孝悌之訓民感其德日有所化。

獄無繫囚

劉曠性謹厚以誠恕應物為平鄉令單騎之官有爭訟者曉以義理各自引咎去在職七年風教大洽獄無繫囚囹圄生草庭可張羅及去吏人泣送數百里不絕。

郡無一囚

南史宋世良爲清河太守。郡東南有曲堤。羣盜多萃于此。世良施八條之制。盜奔他境。郡無一囚。獄內桃樹叢生。蓬蒿滿植。牙門虛寂。無復訴訟者。及代至傾城祖道。有老人丁金剛泣而前曰「老人年九十。記三十五政。府君非惟善政。清亦徹底。今失賢者。人何以濟。」一莫不攀轅涕泣。子孫均登顯位。注牙門今作衙門

三年無囚

何易于爲益昌令。遇鬬民在廷。易于丁甯指曉枉直。杖楚遣之。不以付獄吏。三年無囚。

全活千人

金賈少沖代叔从軍行伍間。未嘗釋卷。進士劉筈欲以妹妻之。辭

不就。曰「富貴當自致之。」往北京決獄。奏誅首惡。誤牽連者不問。全活千人。後仕至節度使。子益位至吏部尚書。

焚卷救人

金石皋守定州。唐人王八謀爲亂。書其縣人姓名于籍。計數千人。其黨持籍詣州發之。皋鞫治時。値冬月。抱籍上廳。佯仆。擲其籍爐火中。盡焚之。止坐爲首。餘皆得釋。後子琚官至吏部尚書。

捨身救人

趙綽河東人。性質剛毅。爲大理少卿。掌固（大理屬官）來曠告綽濫免徒囚。推驗無實。帝怒。命斬之。綽固爭。帝拂衣入閣。綽託奏他事。復入再拜曰「臣有死罪三。不能制馭掌固。使觸天刑。一也。囚不合死。不能死爭。二也。本無他事。妄言求入。三也。帝意解。曠免死。內部侍郎辛亶嘗衣緋褌，帝以為厭蠱，命斬之。綽曰：「法不當死，臣不敢奉詔。」帝怒甚，命引綽斬之。綽曰：「寧殺臣，不可殺亶。」至廟堂解衣就刑，上復使問之。對曰：「執法一心，不敢惜死。」乃釋之。帝以綽誠直，前後賞賜萬計。與大理卿薛胄俱名平恕，然胄原情而綽守法，俱為稱職。北史

保全四百家

漢袁安為楚郡太守。楚王英謀逆，連繫者數千人。顯宗怒，吏按之急迫，痛自誣死者甚衆。安到郡，先往按獄，理其無明驗者，條上出之。府丞椽史皆叩頭爭，以為阿附反者，法與同罪。安曰：「如有不合，太守自當之，不以相及。」遂分別具奏。帝感悟，報許，得出者四百餘家。

成全數家

葉南巖爲蒲州刺史有羣鬬者訴于前見一人流血被面頭腦破裂公惻然令扛至幕廨中親傅以刀創藥委謹厚廨子及幕官曰：「善視之勿令傷風此人若死汝輩責也」戒令其家人一概不許近前略加審獄收仇家于獄而釋其餘子人問故公曰：「爭鬬無好氣此人不即救必死死即償命寡人之妻孤人之子又干證連繫不止一人破家此人若愈特一鬬毆罪耳且人情訟欲勝雖骨肉亦甘心焉吾所以不令其家人相見耳」

保全無辜

漢戾太子遭巫蠱事死遺孫病已生數月繫獄中時丙吉受詔治獄憫其無辜擇謹厚女徒乳養之會望氣者言獄中有天子氣武

帝遣使者令盡殺之。吉閉門不納。曰：「他人無辜而死。且不可。況親孫乎。」使者還報。帝悟而釋之。及昌邑王廢。大臣議所立未定。丙吉奏立皇孫。病已是爲宣帝。吉絕口不道前恩。及掖庭宮婢自陳阿保之功。言及丙吉。帝始得識。乃大賢之。封博陽侯。當吉封侯時。値病。上憂其不起。夏侯勝曰：「有陰德者。必享其報。今吉未獲報。非死疾也。」果愈。

爲囚請命

宋馬默知登州。宋制沙門島罪犯。官給糧者三百人。多則投之海中。默上章言朝廷既貸其生。今以溢額而投海。有傷皇仁。乞査年久無過者。移至登州。上納之。著爲令。自是全活無算。默無子。一日正晝見絳幘雲帔者。挾二男女自天而下。曰：「我奉天符以爾奏移沙門爲罪犯。一專俾繼爾嗣。』後默妻妾生男女二人。皆聰慧。默仕至都轉運使。

罪而不怨

春秋時。柴子羔爲衛士師刖人足。後値衛亂。子羔出走。刖者守門。屢引之匿。羔謂刖者曰：『吾向者親刖汝足。今吾在難。正子報怨之時。而反如此。何也。』刖者曰：『刖足固我罪。向者見君論刑時。有愀然不樂之色。此吾所以感君也。』然則見殺如怒死者。其能無憾乎。

以德報怨

唐徐有功轉司刑少卿。與皇甫文備同按獄。文備誣有功縱逆黨。後文備坐事下獄。有功出之。或曰：『彼嘗陷君於死。』有功曰：『

爾所言者私忿我所守者公法不可以私害公」潘好禮稱有功蹈道依仁固守誠節不以貴賤死生易其操履

第二章　廉明類

平反冤獄（一）

宋王旦初釋褐知臨江獄有一囚罪當死公求出之通夕不寐至五鼓時忽有得急趨出則吏卒已皆起驚呼相向公怪問之對曰「値吏者纔擊五鼓忽聞空中有聲云起起公將出矣方振衣而立不意果出也」公默然心契即引囚核問竟爲平反

平反冤獄（二）

錢若水爲同州推官有富民失女奴父母訴於州委之錄參錄參

舊與富民隙。遂中刻富民父子共殺富民。富民已誣服。獨若水遲疑。錄參語侵之。若水笑曰：「父子皆坐重辟。豈不容某熟察。」又越旬不決。知州亦有言。若水終不奪。一日潛詣知州告曰：「某以家財訪女奴。今得之矣。」知州遂釋富民父子。富民詣若水謝。若水閉門不納。富民遶垣而哭。知州欲以此奏之朝廷。若水辭曰：「某初心止圖拔冤。非圖爵賞。且朝廷聞之。如錄參何。」知州歎服。太宗聞其事。擢知制誥。進樞密使。後無病而卒。

平反冤獄（三）

湖州姚秋農嘉慶己未殿撰。是年元旦。同郡某夢至一官府。聞喧傳曰：「狀元榜出矣。」朱門洞開。兩緋衣吏擎一黃旗出。旗尾各綴四字曰：「人心易昧。天理難欺。」醒而不知其為誰。及臚唱姚爲第一人。有以此夢告之者。公熟思良久。曰：「此先世高祖某公語也。公提刑皖江時。獄有二囚。爲怨家誣陷死罪。公按其事無佐驗。怨家賄二千金。請擬大辟。公曰：「人心易昧。天理難欺。得金而枉殺。人天不容也。」屏不受。送出二囚於獄。旗尾所書。殆謂是歟。」

平反冤獄 (四)

浙江義烏縣。民刁好訟。動以人命誣砌成獄。鄉民虞全士價買虞盛公田一畝五分。爲業已經二載。盛公之姪虞祖福又將此田賣與虞兆文。以致互爭控縣。未審時。値初夏。兆文赴山查看樹木。失足墜崖。跌傷石肐肘。越數日殞命。其弟兆賢頓起奸謀。謂嫂吳氏曰：「兄與全士爭田。輸贏未決。若移屍投水。告以挾讐謀命。則田可永業。且問全士抵償。是一舉而積恨可消也。』嫂畏禍不允。告知其壻趙毛。並兆賢之弟虞世德與姪虞公星共相阻勸。兆賢不依。即令已之二子乘夜擡屍。自將兆文雨傘包裹攜帶至王項塘塍。沉屍於水。置傘物岸上而歸。天明時有對塘居住之虞佩生汪大玉見傘柄刻有兆文名字。往告兆賢。兆賢佯爲不知。同赴查看。暗將兆文原買田契。與控縣呈稿。扯碎棄落塘塍。適有虞餘看見拾取。兆賢即指爲全士挾仇謀命之據。捏稱兆文於四月初九日雞鳴時赴縣催案。被全士攔路打死。拋塘報縣。縣驗有致命傷痕。死後棄水。重刑嚴訊。全士無從置辨。問絞擬抵。遂成冤案。時郡守朱公慈祥明決。斷事如神。一見讞詞。瞿然曰：『是案疑竇種種。竟至大辟。吾不忍也。』遴委蘭谿令會同研鞫。據兆賢續呈血衣一件。供係兆文所穿。當初驗時。脫下墊屍。被仵作陳佛奇取去。用錢買回。質訊佛奇。堅供並無其事。復赴王頂塘履勘。塘塍曲折紆迴。如果全士仇殺。自必急圖拋棄。豈肯從容遠涉。況契紙呈稿。何難即時毀滅。焉肯留於塘塍。自露形迹。且初夏天雨泥濘。紙棄草地。必然濕爛。安能拾取辨別。隨喚兆文貼鄰虞昭能單頂生。並近塘之寺僧裕生。供出兆文在山失跌。受傷情事。從此層層推究。始據趙毛虞餘等。將擡屍棄塘。及親見兆賢袖中落出契紙呈稿血衣係兆文跌傷後。脫存在家。各情節歷歷不爽。兆賢俯首伏辜。不敢置喙。事得昭雪。計全士縲囚待決。已拚受戮。西曹幸遇朱公明鑒。遂令獄底冤魂。撥雲見日。況鍾之治蘇郡。民訟青天。文拯之涖開封。人稱慈父。以公方之。復何愧焉。

棄官白冤

淸探花劉應秋之父。爲潯州司理時。撫軍發一囚來。密授意旨。教擬以重辟。公晝夜歎息。夫人問故。公曰：「此冤獄。上官命擬死。拂之則不利於官。順之則枉殺無辜。情理兩難。是以歎息。」夫人厲聲曰：『去官事小。人命事重。安有殺人以保爵位者乎。』公遂力白其冤。脫囚之罪。上司呵責。公即解綬去。生子中探花。孫點狀元。向使一念之差。禍且不測。觀此。慈仁種福。與奉上司所得孰多。

寧死辨冤

明薛瑄素不爲王振屈。振銜之。會有武吏病死。妾甚豔。振姪王山欲奪之。妻持不可。妾因誣妻毒其夫。都御史王文究問。已誣服。瑄方爲理少卿。辨其冤。屢駁還之。王文諂事振。嗾御史劾瑄受賄。故出人罪。竟坐死下獄。瑄怡然讀易以自娛。其子三人請一人死二人戍。贖父罪。不許。將決。振有老僕泣於爨下。振問之。曰：「薛少卿不免。是以泣。」振曰：「何以知之。」曰：「鄉人也。」述其平生甚詳。振少解。得免死。除名放歸。後土木之敗。護衛將軍樊忠從帝旁以所持鎚捶死振曰：「吾爲天下誅此賊。」

雪冤得雨（一）

唐顏眞卿爲監察御史五原。有寃獄久不決。眞卿至立辯之。天方旱。獄決乃雨。郡人呼爲「御史雨」。（唐書顏眞卿傳）

雪冤得雨（二）

元郤文原爲江東廉訪使。徽民謝蘭家僮汪姓死。蘭姪謝回賂汪族人誣蘭殺之。蘭誣服。文原錄之得其情。釋蘭而坐回。時久旱不雨冤白乃雨。

雪冤得雨（三）

元侍御史郭貞讞獄華陰縣。有李謀兒累殺商賈于道。至百餘案。事覺。獄已具。賄賂有司。謂徒黨未盡獲。五年不決。時天大旱。人皆爲憤。貞將李尸諸市。天乃大雨。

雪冤得雨（四）

元王惲授平陽路判官。初太平縣民陳氏殺其兄。行賂緩獄。蔓引逮繫者三百餘人。至五年不決。惲一訊得實。盡出所繫者。時久旱。一夕大雨。

以上四則。或疑其近于迷信。但以科學原理言之。天地間萬物變化。均由于電流作用。怨氣鬱凝。則電緣不通而旱。氣舒則陰陽和而雨降。是科學也。非迷信也。

潛心雪冤

宋時寡婦楊氏率女與親黨婚會。其典庫雍乙从行。乙先歸。及楊氏歸則乙死于庫。提刑張文饒疑楊有私殺乙以滅口。母女拷掠。不勝苦毒。女將死。謂母曰：『母以清潔聞。奈何受此汚辱。寧死箠楚。不可自誣。女今死。將訟冤于天。』言終而絕。于是地震三日。有聲如雷。屋瓦皆落。邦人震恐。勘官李志寧疑其獄。夕具衣冠禱于天。俄假寐坐廳。恍有猿墮前。驚寤。自念非殺人者袁姓乎。有門卒言：張家餽食之夫曰袁大。明日袁至。執之曰：『殺人者汝也。』袁色動。遽曰：『吾憐之久矣。願就死。』問之曰：『適盜庫金。會乙歸。遂殺之。』楊乃得免。

獄無寃四

漢何比干爲汝陰縣決曹掾。平活。四千人。後爲丹陽都尉。獄無寃。囚。淮汝號曰何公。征和三年三月辛亥。天大陰雨。比干在家晝臥。夢貴客車騎滿門。覺以語妻。語未已。而門有老嫗。求寄避雨。雨甚而衣履不霑漬。雨止。送至門。乃謂比干曰「公有陰德。今天錫君策。以廣公之子孫。」因出懷中符策狀如簡。長九寸。凡九百九十枚。以授比干曰「公子孫佩印綬者如此算。」後子孫貴顯果如其言。後漢書何敞傳註

懲子雪誣

葉知遠爲嵐谷縣令。一日。其子密與巨室謀。受賄。妄入人罪。誣以劫掠。株及千家。知遠覺其情。幷子申於朝。力爲辨雪。千家獲免。一

日夢神示曰：「子壽將終。因此事得延一紀。賜二子。」明年妻妾各生一子。後皆顯貴。

下獄探情

明周新爲大理寺評事。以善決獄稱。遷浙江按察使。冤民繫久。聞新至。喜曰：「我得生矣。」至果雪之。初新入境。羣蚋迎馬頭。跡得死人于榛中。身繫小木印。驗知死者故布商。密令廣市布。視印文合者。捕鞫之。盡獲諸盜。一日視事。旋風吹葉墮案前。葉異他樹。詢左右。獨一僧寺有之。寺去城遠。新意僧殺人。發樹。果見婦人屍。鞫實。磔僧。新微服行部。忤縣令。令欲拷治之。聞廉訪且至。繫之獄。新从獄中詢諸囚。得令貪汚狀。告獄吏曰：「我按察使也。」令驚謝罪。劾罷之。

善斷疑獄

明石璞歷任江西按察使善斷疑獄。民娶婦三日歸寧。失之。婦翁訟壻殺女。誣服論死。璞禱于神。夢神示以麥字。璞曰：「麥者兩人夾一人也」。比明。械囚趣行刑。未出。一童子窺門屏間。捕入則道士徒也。叱曰：「汝師令偵事乎」。童子首實果道士匿婦麥中。立捕論如法。在江西數年。雖婦孺無不知有石憲使者。

巧斷（一）

隋張允濟爲武陽令。民有以牸牛依婦家者。久之。孳十餘犢。將歸而婦家不與。牛民訴于縣。允濟令左右縛民。蒙其首。過婦家。云：「捕盜牛者」。命盡出民家牛。質所來。婦家不知。遽曰：「此壻家牛。我無係」。允濟卽遣左右撤蒙曰：「可以此還壻」。婦家驚服

巧斷（二）

胡廷桂爲鉛山簿。時私釀禁甚嚴。有婦訴其姑私釀者。廷桂詰之。曰：「汝事姑孝乎」。曰：「孝」。廷桂曰：「既孝可代汝姑受責」。卽以私釀律笞之。觀者咸稱快。

巧斷（三）

明嘉靖時。寶坻民湯咸。其兄成富于貲。將死。出千金泣授咸曰：「兒幼。恐不能掌。弟可有之。俟兒長成。當給其半」。咸許諾。既而不與。成妻訴于邑令張公。不能決。適獲羣盜在側。盜見咸。呼曰：「此人素貧。今暴富。皆我同刼貲也」。咸遽曰：「吾乃亡兄所寄。豈盜耶」。令笑曰：「此天遣盜爲爾兄證耳」。遂盡判與兄子。

巧斷（四）

常州將煜爲麻城令。有賣腐人拾遺金五兩。攜歸語婦。婦囑候失主還之。鄰人目擊。俱爲嘆美。少頃。遇失主。驗實。全畀之。旁人高其義。勸失主酬銀五星。失主不肯。遂爭鬨。失主入稟縣。詐稱失糧銀十五兩。爲某所獲。止還三分之一。餘乾沒。懇追究。煜即拘訊。得其詐。隨召其婦及鄰人與勸分者鞫詞。皆合。煜詰失主曰：『汝銀果十五兩乎？』失主詞不能改。應曰：『然』。煜顧謂失主曰：『汝失數與彼拾數不合。另有拾之者。可別訪。此銀與你無涉。』即給賣腐人去。失主咋舌而出。邑人稱快。

巧斷（五）

閩縣令曹懷璞一日于途中遇二人爭辯。執而問之。其一人曰：『某拾得銀一封。約重五十兩。持歸呈母。』母曰：『銀數太多。倘此人急需此項失之。恐有他變。亟應守其地而歸之。「某因到此等候。果遇此人尋至。則以原銀退之。」其人熟思許久。曰：「尚有五十兩。汝應一併還我。」蓋欲藉此訛詐也。曹詰失銀者曰：「汝所失實百兩乎。」曰：「然。」又語得銀者曰：「渠所失百兩。與此不符。此爲他人所失。今其人不來。汝姑取之。」復詰失銀者曰：「汝所失者。少頃當有人送還。可仍在此候之。」其拾銀者持銀竟去。失銀者嗒然不能置一辭。觀者咸稱快。

巧斷（六）

衡陽梅公爲田安令。一日有內監餽公豚蹄。乞爲追負。公烹蹄召內監飲。幷呼負債者至。前訶之。其人訴以貧。公叱曰：「貴人債敢以貧辭乎。今日必償。少遲。死杖下矣。」負者泣而去。內監意似惻然公復呼來頻囑曰「吾固知汝貧然則無可如何亟賣爾妻與子持錢來但吾爲民父母何忍使汝骨肉睽離姑寬一日歸與妻子訣別此生不得相見矣」負者不覺大慟公泣內監亦泣辭不願償遂毀其券後公至侍郎功名特顯

巧斷（七）

宋林公壽歲暮歸家途遇爲糧累者鬻子得銀三兩倉皇遺失林僕拾之林曰「此欠粮者救命錢速送還之」近前哭聲震天林曰「爾欠若干」曰「八兩賣兒僅三兩又失去命當死矣」說罷又哭林以所拾銀還之復取銀三兩贈之曰「你先完此可以少緩待予歸二日來救汝」其人感激到縣縣役知其故曰「你尙欠二兩何不于林取完欲待彼來恐虛話耳若不依吾言到官

重責。誰饒你命。」其人依役所說。官拘林至。林以還金賄金歷訴。官問其人誰致爾反仇恩者。其人盡吐役所指使。非小民敢負德也。令于是責役代償所欠。流三千里。請表「林公壽之廬」

巧斷（八）

金李復亨爲南和令。盜割民牛之耳。復亨盡召里中人至牛家。牽牛過之。至一人前。牛忽驚躍。詰之乃引伏

執法無私

漢蘇章少博學能屬文。順帝時遷冀州刺史。故人爲清河太守。章行部案其姦贓。迺請太守爲設酒肴。陳平生之好甚歡。太守喜曰：「人皆有一天。我獨有二天。」章曰：「今夕蘇孺文與故人飲者私恩也。明日冀州刺史案事者。公法也。」遂舉正其罪。州境知章

無私。望風畏肅。後漢書

深思察微

漢陳留有富翁年九十娶女生男。長男以爲非父之子。爭財數年。州郡不決。丞相丙吉曰「曾聞眞人無影。老陽子無影。又不耐寒。」一時八月取同年小兒俱裸體。此兒獨啼言寒。並令日中行。無影。方服。

明察如神

清浙江處州郡守楊志道忠信明決。片言折獄。屬邑縉雲縣有倉書李宗璧樊廷璋樊王朋夏廷贊等。朋比爲奸。徵收則挪後補前。查比則易李爲張。弊端萬狀。牢不可破。縣令朱濬徹底澄清。無微不察。宗璧。等鬼蜮之計既窮。遂挺而走險。乾隆十九年。十一月。二十三日。於鄆申藩司公文內。夾入戶倉書稟揭。隱其名。開列七款。皆朱令之所以實心辦理倉儲者。反其說而誣之。其意以爲上司見揭。必疑而去此一官。可遂其報復之計也。乃事未經旬。卽爲郡守揚公訪聞。遣差密提到案。四人戰栗觳觫。不能辨一字。隨於身邊搜出底稿。不待加刑。一一供吐如繪。爰書既定。兩司據詳兩院。將爲首之李宗璧。擬流。下皆滿徒結案。此若非郡守神明先事查審。不但朱令以廉吏能員。被不白之寃。安知案情久遠。四奸不輾轉漏網乎。

立爲剖決

劉君初爲連江尉。氏有爭田者。十年不決。郡以屬公。公立爲剖決。人皆謂公爲神。不知公特心公耳。及去官。得直者候於建州屏人曰：「某有佳香數斤。聊爲長者壽。」發視之乃黃金也。公謝曰：「君事本直。非私君也。曷敢取私報。」堅不受。時皆稱之。後公子原父原貢俱以名顯。

決獄迅速

唐張文瓘爲大理卿。不旬日。斷疑獄四百。抵罪者無怨言。拜侍中。四聞其遷。皆垂泣。性嚴正。未嘗回容。卒年七十三。四子俱貴。父子皆三品。時謂萬石張家。唐書

決獄審愼

金浙江王永功爲大興尹。有老嫗與男婦憩道旁。婦與所私相从亡去。嫗告伍長蹤跡之。有男子私殺牛。手持血刃。望見伍長即走避。伍長疑其殺婦。捕送縣。不勝楚毒。遂誣服。問尸安在。詭曰：「棄

之水中」求水中果獲一尸已半腐縣吏具獄上永功疑之曰：「婦死幾何日而遽半腐哉」頃之嫗得其婦于所私者寃乃白

不肯邀功

明嘉靖時御史王珣巡按三吳舊例獲盜至三百人者陞四品俸珣部中所獲至數千人按之多非實公盡釋去曰：「我不敢殺人以取功也」任滿公陞左都御史俊四子皆登進士

不受囑托

明孔翊爲洛陽令置火庭前凡邑中紳士有囑託之書皆投之於火曰：「縣官與民最近宦途多有所託從之則倚勢害民善良無遺類矣不從則未免招尤惟書至不開即投於火則豪強無所恃善良有以存且在吾不知爲何事在彼亦不至甚忤也曲直在民

公斷有法何至以勢陵人哉」後一子十九歲即登進士第

冬衣單薄

南史顧協爲廷尉正冬衣單薄寺卿蔡法度欲解襦與之憚其清嚴不敢發口常有門生來知協廉潔不敢厚餉止送錢二千協怒杖之二十因此絕于饋遺自丁母憂終身布衣蔬食不娶後因少時聘女年六十餘猶未嫁義而迎之

一廉一貪

郭思承爲司理甚廉潔有法司元珍者掊克虐民俱以秩滿合舟還里郭攜眷居前艙元在後至中流忽風起晝昏衆見水中鬼便鑿舟爲兩截郭之前艙浮江面順流到岸其後艙行囊即時沉沒惟人口得無恙乞丐而歸

第三章　貪酷類

貪贓折福（一）

新都丞徐謙被檄充勘官。宿犍為境上徐氏家。前一夕主人夢神曰：「明日有徐侍郎至。宜善待之。」謙果至。遂盛禮留款。及囘復夢神曰：「徐子此囘受五百金。枉七人命。天曹已奪算十年。官止此矣。」主人乃不禮之。謙訝問故。具以夢告。謙愧形於色。還任。改秩。未及拜命而卒。年止三十四。

貪贓折福（二）

明隆慶時。荊州推官魏釗嘗往彝陵檢勘人命。有徐少卿者。夢神告曰：「明日魏推官過此。其人前程遠大。旦夕入銓曹。可豫識之。

』遲明探之果至。少卿乃具衣冠。謁款甚勤。去數日：復夢曰：「可惜魏推官受賄四百金。故出人罪。死者含寃。上帝已盡削其秩年。亦不永矣。」少卿密偵之。果然。未幾。釗丁內艱歸。尋補濟南陞戶部主事。一年卒於京。家亦彫落。

貪賍折福（三）

侯鑑爲江夏令。與僧居約有舊。時往訪之。每至必先具盛饌。一日又至。延待殊缺。鑑怪問之。僧曰：「公每至。土地必先報。此番不報。是以不及預備也。」鑑大驚。使僧問故。是夕僧夢土地神告曰：「侯鑑合作宰相。於我有統攝。故報。今受胡氏金六十兩。枉斷一事。天曹已削其爵命。亦不永矣。」鑑聞。深自愧悔。後果然居官受賂。其罰如此。而世之居官者。盍不鑒此而爲警戒哉。請各三思。切莫貪錙銖而失大利也。

貪贓折福（四）

開封周勸初任北直知縣。後陞至湖廣巡道。路經家鄉。率族人祭掃祖塋。甫陳供物。其祖魂忽附勸子。瞪目而言曰：「周家累世積德。註爾官至尚書。因爾作令時。聽訟不公。得某銀八十兩。枉斷一事。降至藩司。後又受某銀六十兩。枉斷一事。降今職。爾爲郡守二年。雖不悉索。而下吏之奉承者悅之。耿介者疏之。某知州官箴無玷。偶疏禮節。爾卽挫辱之。屬員由是不敦名節。而失清操。緣此子孫三世科甲。又黜盡矣。」一語畢。作嗚咽狀。久之。勸愧悔不能言。隨告病致仕。未幾死。子孫零落。無有繼其書香者。

貪贓變驢

蔣進士任山東分守道。有兄弟爭產。兄賄金二百兩求斷。弟賄金三百兩求斷。蔣俱受之。因弟金多一百兩。乃斷與弟。兄氣鬱死。後蔣死。里有紳士死三日復甦。喚蔣子謂曰：「我到冥間見令尊已變爲驢。托生于某家。」蔣子不信。紳士曰：「令尊任山東時。受賄枉斷。由爾僕某過付。可問之。」果然。紳士曰：「令尊托帶家信。叫你退還此金。以脫其罪。」蔣子从之。並往買其驢。寄養于揚州放生庵。二僕飼之。三年而斃。

貪贓蔑門

清乾隆間。江都某令以公事將往蘇州。赴甘泉李令處作別。而托云。「如本縣有屍傷相驗事。望代爲辦理。」李唯唯。已而聞其登舟後。夜三更。仍搬行李回署。李不解何事。探之。乃有報驗屍者。啇家汪姓。兩奴口角。一奴自縊死。汪有富名。某令以爲奇貨。命停屍於大廳。故不即驗。待其臭穢。講貫三千金。始行驗。某又語侵主人。以爲：喝令重勒。詐四千金。方肯結案。李令見而尤之。以爲太過。某令曰：「我非得已。適欲爲兒子捐知縣故耳。現在汪銀七千。已兌往京師上庫。署中並未藏一金也。」未幾。其子果選甘肅知縣。擢河州知州。因贓私案發。處斬。兩孫盡行充發。家產籍沒入官。某令驚悸疽發背而死。

貪贓害嗣

江陰俞生。乾隆末。鄉試入頭場。翌日黎明。即裹具欲出。鄰號生知其未謄眞也。怪而問之。色甚慘沮。力詰之。始告曰：「言之罪矣。先君宦遊半世。解組而歸。彌留時。呼余兄弟四人泣囑曰：「吾平生無昧心事。惟任某縣令時。曾受賄二千金。寃殺二囚。昨詣冥司對案。法當斬嗣。以祖上有拯溺功。得留一子。單傳五世。貧賤終身。吾地獄之苦。已不能免。倘或子孫妄想功名。適增吾罪。非孝也。汝兄弟其各勉爲善而已。」言訖而瞑。兄弟相繼死。惟我僅存。鄉試二次。悉汚卷。昨三更脫稿。倏見先君揭號簾指責曰「汝既不能積德累功。挽回天意。違吾遺囑。致吾奔走。且重獲罪。」隨以手械一擊。燈滅硯翻。遂失所在。予三登藍榜。不足爲恨。所痛先人負疚。拘繫九幽。行當削髮入山。學目連救拔亡靈耳。」衆聞咋舌。同號陳扶青。作歸山詩以送之。

貪贓雷殛

唐樊光居交趾郡。停午。忽風雷大作。光及男并一黃犬。皆震死。其妻於迅雷之際。見一道士提置於別所。遂得免。人問其故。妻云「昔有二民相爭訟。同繫獄。無理者納賂於光。光即出之。有理者大被拷掠。抑令款服。不許飲食。其人饑餓將死。聞於獄中披髮訴天。故有此報。」

希旨誣陷（一）

梁曲阿人宏某家貲巨富。往湘州販木。經營數年。始購得巨木數栰。皆長五十餘丈。世所罕見。時武帝欲為文帝陵上建寺。欲購名材。而宏氏之木適運至南津。南津尉孟少卿希朝廷旨。妄思擢用。乃搜取宏氏所齎衣服財物。誣為劫取。又云造作過制。非商賈所宜。遂沒其木栰入官。處以重典。宏某臨刑之日。命妻子多具黃紙筆墨於棺中。又書少卿姓名數十。吞之。方過一月。少卿忽見宏某來索命初猶捍避以後但言乞恩嘔血而死凡諸獄官及主書舍人與此獄事者幾月之內相繼夭亡皇基寺營構方訖隨遭天火枯木之埋在地下者皆化成灰無有留餘

希旨誣陷（二）

隋煬帝嫉光祿大夫魚俱羅欲成其罪令梁敬眞案其獄遂希旨陷之極刑未幾敬眞見俱羅爲之厲而死

貪而又酷（一）

北魏李彪爲中尉號爲嚴酷以姦款難得乃爲木手擊其脅腋氣絕而復屬者時有焉又誣汾州叛胡得凶渠皆鞭而殺之及彪病通身瘡潰痛毒備極而死

貪而又酷（二）

清嘉慶時。福建廈防同知某貪與酷。兼而才復足以濟之。蒞任之日適報一命案。有富紳因起造園亭。親督工匠。自坐一圓椅旁置燈火。以供吸食鴉片煙之用。俄一匠亦攜潮煙筒。向燈吸火。富紳叱之。甚厲。匠負氣去。乘僕從不在側。攜斧劈其背立斃。匠亦旋被執送官。自認不諱。即收禁。牌示明日早堂聽審。而夜遣人語匠。令供指使者。翌日匠供主人之妾某氏。籤拘某妾。晚堂聽審。某妾急使客以萬金賂。得免。復使人語匠曰。「某妾不肯到官。恐指使別有人。明日覆訊。當另供。」又越日覆供事出某妾。而其意實趣於其妻。籤拘某妻。則復使客加賂萬金。案遂定。蓋受篆甫三日。已乾沒二萬金。而於案情並無出入。於是人皆畏其貪酷。而亦私服其才。大吏益賢之。旋擢守泉州。後屢緣事。復遞降爲令。蓋歷任所爲卒類此。終至輾轉褫職。有所任幹僕。記其前後所入。不下五十萬。皆隨手散去。罷廢之後。兩目旋瞽。兩子皆納貲爲郡丞者。亦相繼而亡。遂至貧無以自存。竟侘傺客死。俗所謂人財兩空者。此令之謂矣。

酷虐慘報（一）

商鞅相秦。變法令。論囚渭水。水盡赤。公子虔告商君反。發吏捕之。車裂以徇。

按近來廢止刑訊。雖無榜掠拷擊之慘。但濫行拘押。一人入獄。舉家痛哭。吏役達門。雞犬不寧。其害尤甚于刑楚。愿法家愼之

酷虐慘報（二）

漢嚴延年爲涿郡太守。後遷河南。巧爲獄文。所欲誅殺。奏成手中。

奏可論死。奄忽如神。冬月論囚。流血數里。號曰：「屠伯。」其母從東海來。欲從延年臘。到雒陽。適見報囚。母大驚。便止都亭。不肯入府。延年出至都亭謁母。母閉閤不見。延年免冠頓首閤下。良久。母乃見之。因數責延年。幸得備郡守。專治千里。不聞仁愛教化。全安愚民。顧多刑殺人。欲以立威。豈爲民父母意哉。延年服罪。重頓首謝。因自爲母御。歸府舍。母畢正臘。謂延年曰：「天道神明。人不可獨殺。我不意當老見壯子被刑戮也。行矣。去汝東歸。掃除墓地耳。」遂去。歸郡後歲餘。延年果以不道。棄市。東海人莫不賢智其母。

按史載諸酷吏。罕有得良死者。重則夷族。輕則自裁。此亦感應之大彰明較著者矣。故曰。殺人之父。人亦殺其父。殺人之兄。人亦殺其兄。彼好殺人者。其與操刃而自殺。何遠哉。今錄其尤顯著數條。

爲司刑鑒者。其他可推類知矣。

酷虐慘報（三）

漢王溫舒爲河內太守。捕郡中豪滑千餘家。上書請大者族。小者死。流血至十餘里。郡中無聲。逃者求之旁郡。後被人告發。罪至族。

酷虐慘報（四）

漢義縱爲河內都尉。至則族滅其豪。爲南陽太守。時寧成亦爲酷吏。得罪髡鉗歸家。居南陽。及縱至。成側行迎送。縱弗爲禮。至郡遂案寧氏。盡破其家。後徙定襄太守。獄中二百餘人。及賓客昆弟私入相視。亦二百餘人。縱一并捕鞫殺之。後縱亦棄市。

酷虐慘報（五）

侯景在位。用刑酷忍無道。立大舂碓。有犯法者擣殺之。及死。暴于市百姓爭取屠臠食。皆盡。焚骨揚灰。曾罹其禍者。以灰和酒飲之。其妻子在魏。高澄命先剝面皮。以大鑊盛油煎殺之。

酷虐慘報（六）

北齊陽翟太守張善苛酷貪婪。惡聲流布。蘭臺遣御史魏輝儁就郡治之。贓賄狼籍。罪狀合死。善於獄中使人誣訴。反誣輝儁爲納民財。枉見推縱。文宣帝大怒。以爲法司阿曲。必須窮治。令尚書令左丞盧斐覆驗之。斐遂希旨成輝儁罪狀。奏報於州斬決。輝儁遣語令史曰「我之情理。是君所見。當辦紙百番。筆二管。墨一錠。以隨吾屍。若有靈祇。必望報盧」。令史哀悼。爲之殯殮。并備紙筆。越十五日。善得病。唯叩頭。未旬日而死。纔兩月。盧斐坐譏駁魏史。爲魏收所奏。族誅，

酷虐慘報（七）

唐來俊臣作羅織經一篇。按以從事。凡鞫囚必注醋於鼻。掘地爲牢。寢以匽溺。又作大枷。各爲號。一「定百脈」。二「喘不得」。三「突地吼」。四「著卽承」。五「失魂膽」。六「實同反」。七「反是實」。八「死猪愁」。九「求卽死」。十「求破家」。後斬西市。死之日。人爭抉目。擿肝。醢其肉。須臾以馬踐其骨。無子餘。先是有周興者。性亦殘酷。人告興反。詔來俊臣鞫狀。興時未知被告。方對俊臣食。俊臣曰。「囚多不服。奈何。」興曰。「易耳。納之大甕。熾炭圍之。何事不承。」俊臣曰。「善。」令取甕。且熾火。徐謂興曰。「有詔按君。」興駭汗叩頭。遂流嶺表。爲仇家所殺。（唐書來俊臣傳）

酷虐慘報（八）

唐郭霸爲御史。諂上虐下。嘗按芳州刺史李思徵。榜掠拷禁。不勝楚毒而死。霸後屢見思徵。甚惡之。嘗因退朝。遽歸命家人曰：「速請僧傳經設齋」。須臾見思徵從數十騎上其廷。曰：「汝枉陷我。今取汝」。霸周章惶怖。援刀自刳其腹。斯須蛆爛。是日閭里亦見兵馬數十騎。駐於門。少頃不復見矣。（唐書郭霸傳新唐書作郭宏霸今錄李思徵事舊書較詳悉故仍之。）又太平廣記。唐侍御史郭霸奏殺宋州三百人。暴得五品。經月患重。臺官問疾。見老巫曰：「郭公不可救也。見數百鬼遍體流血。攘袂齗齒。皆云不相放。有一碧衫人。喝緋衣人曰：『早合去。何因許時。』答曰：『比緣未得五品。未合去。』俄而霸以刀子自刺乳下。攪之曰『大快。』」其夜卒。據此則霸之所以獲罪。更不一端矣。

酷虐慘報（九）

唐索元禮為推吏。作鐵籠轂（音速）囚首。加以楔。至腦裂死。又橫木關手足轉之。號『曬翅』。後以苛猛復受賕。收下吏不服。吏曰：『取公鐵籠來』。元禮服罪。死獄中。

酷虐慘報（十）

宋張汝慶生性剛強。不循道理。凡事執拗。人之所非。皆其所是。人之所是。皆其所非。為提刑時。每審事。輒盛怒。兩造聽審。不問情由。皆以意斷。曰：『某人是。某人不是。』稍加分辨。不論輕重。諸刑備施。名曰：『打一套』。凡待訊者。俱魂亡膽落。曰：『閻羅催票到矣。』所用俱非刑。以醋灌鼻。曰：『活打料』。麻索繫兩大指。將囚懸挂。曰：『猴獻果』。熨斗烙背。曰：『熟剝皮』。鐵繩盤頭。雙睛勒出。曰：『盼佳期』。燒地令紅。使囚赤足行其上。曰：『步步嬌』。鐵鉗拔手指甲。曰：「蛇蛻殼。」繫足於夾棍夾其膝。曰：「朝天鐙。」更有「鳳凰展翅。」「王女登梯。」「猢猻吹簫」等刑。皆目所未見。耳所未聞者。幕中友勸其稍寬。答曰：「天地之道。有春即有冬。有雨即有雪。吾代天宣化。行肅殺之令。剪除惡類。豈肯學合掌彌陀。作慈悲態乎。吾居官之人。識見宏遠。非爾書生所能知也。」後任滿歸舟中。夢數百人。破頭折足。身無完膚。呼汝慶曰：「我輩爲爾枉殺。當還我命。」至家。晝見鬼。或用刀剜其心。或用鎗戳其腦。或用錐刻其骨。呼痛之聲。旦夕不歇。渾身皮肉。零碎爛盡。祗存白骨一束。

酷虐慘報（十）

山東朱宗予好行殘忍。爲郡倅。遣例造重刑。杖重八斤半。夾棍一尺六寸枷三百觔。拶上裹鐵。幸倅係閒曹。無可施威。乃謀署縣印。甫到任。命皂隸改裝如閻羅殿鬼使樣。吆喝令作鬼聲。聞者戰慄。每日至未刻睡起。掌燈時坐堂。血飛肉綻。呼號達旦。慘不忍聞。民間有病死人。令稟報往驗。夫死則指妻為因姦謀殺。師死則指徒為貪財害命。道死者則指為刼搶毆斃。株連牽累。不可勝計。人畏刑誣服。彼且欣欣得意。計署事四十餘日。誣指命案。置大辟者二十七件。有賈姓生女貞姑。已字孫宅。將嫁。繼母誣為有孕。孫赴縣告休。宗予准理。女父雖知其寃。因礙繼妻。不敢言。惟向女流淚嘆息。女驚問。父語以故。女曰：「朱惡人也。女若不出。父必受重刑。女罪通天矣。不若挺身赴質。或可辯白。」乃更衣至縣。觀者數千人。女並無羞澁。宗予陞堂。不容分辯。令穩媼看驗。媼回實係原身。並無胎氣。宗予大怒。一橯一敲。媼死復甦。仍命再驗。女卽立起大言曰「不必驗矣。媼受刑如此。豈敢再實說。與其媼驗。不如爾自驗也」乃解衣。用利刃由心以下剖至腹。擲刀于地。兩手分腹腸胃皆見而死。猶怒視挺立。數十人移之不動。郡守聞之。飛馬來驗。置繼母抵償。以禮祭奠。女屍方倒。撫臺糾察宗予任性濫刑。慘斃人命。奉旨發審。二十七案。皆得平反。法司惡其太酷。每審一事。或杖或夾。或橯。使遍受諸苦。斃獄中。

酷虐慘報（十二）

蜀御吏陳潔。狠戾自恣。其決刑獄。專以深巧爲能。每月斷死者百餘人。夏暑憩水亭。見喜子懸絲下。引手接之。卽化爲大蜘蛛。嚙其中指。痛入骨髓。遂拂落堦下。化爲厲鬼。怒詰不已。潔乃以指潰而死。

酷虐慘報（十三）

王萬祚於萬歷初。爲巡江御史。極淸廉。而性頗嚴刻。捶楚之下。有以小過而被重杖者。有以輕罪而致殞命者。未幾得病。衙中常有寃鬼前後呼叫。僚佐往候之。無不聞者。數日而死。

酷虐慘報（十四）

明嘉靖中有某官者素酷暴。動輒行笞數千。雖佳節慶宴。刑杖不少停。哀號之聲震地。若罔聞者。有一道人排闥入。直立廳前瞋目髮指。某官大怒。命左右盡力笞之。忽後堂大呼公子爲鬼祟。幾死。某官張皇入內。其子自言若有鬼神持巨箠捶我。皮肉俱爛。血漬雙股。痛不可忍。急遣人至廳視道人。已失所在。乃號叫大哭。舉身自擲頭面皆損。

酷虐慘報（十五）

清康熙元年。崑山知縣李開先。貌陋而酷。人號爲李藍面。每遇徵比錢糧。必用極重之板。往往立斃杖下。濺血盈堂。罷官之後。寓居蘇州。三四年內。一門死盡。止存一女。與奴私通而遁。僅存一身。貧乏之不能度日。至自炊鍋竈。一日以口吹火。向前跌入竈門。燒爛其頭而死。

深刻釀禍

清王轂。嘉慶間任德州知州時。有二童子。一年十二。一年十三。在塾中戲相雞姦。爲人所見。兩家父兄羞憤互訟。轂竟問實。律凡姦十二歲以下。無問男女。皆論死。十二歲以上。僅科姦罪。於是十二歲童子。以薄責發回。十三者論如律。瘦死獄中。後數年。十二歲者已及冠。出赴試。爲十三歲父兄所控阻。以爲彼嘗受汚於我子。我子已問罪如律。彼何得復玷膠庠。十二歲者羞不自容。竟自戕死。其實兩家童子。當時皆知識初開。不必果有其事。兩家父兄迫於人言嘲笑。憤而具控。亦不樂官之證實也。使當官者以兩兒嬉戲驗訊無據。呼其父兄自行領回訓責，不爲縱法。而所全不已多乎。蓋轂之天性刻薄如此。時孫淵如先生爲德州糧道。目擊其事。甚爲不平。後山陽案發。慨然曰：「若王轂者。雖無此事。死亦晚矣。」

深文繩下

唐崔器爲三司使。欲深文繩下。乃建議。陳希烈達奚珣等數百人。皆抵死。上元元年。病亟。叩頭若謝罪狀。家人問之。曰：「達奚珣訴吾。三日卒。

作法自斃

唐張楚金爲秋官侍郎。奏逆人持敕免死。其家口仍絞斬。及配沒爲奴婢。後楚金被羅織反。持敕免死。男子十五以上皆斬。妻女配沒。識者曰：「作法自斃」所謂交報也。

濫殺邀功

唐時福清李元禮爲龍溪簿。攝尉事。獲强盜六人。唐法獲盜七人者賞。改京秩。李命弓兵搜一平民以充數。皆以贓滿報。俱論死。李遂得轉承務郎。自是恆見寃死之民。立於其前。及調官泉州。束裝出城。鬼亦隨之不去。夜宿能山驛。暴死。以無辜之性命。博妄得之功名。鬼卽無靈。心亦何忍。旋以自己之性命。徇身外之功名。徒增惡孽。又何益乎。況死後冥責。又不知其何如也。

入輕爲重

雷申錫江西人。舉高第廷試後。三日客死都下。捷音與訃音踵至。其妻日夜悲哭。一日夢申錫如平生自言「我往昔爲太史有功德於民。故累世爲士大夫。然嘗誤入死囚。失於輕重。故罰我凡三世。得意時。暴卒。前一世仕久淹滯。後忽遷要官。纔入都門而卒。今又如此。凡兩世矣。須更一世。乃能償宿譴耳」

好入人罪

張卜年天性刻薄。職爲侍御史。好入人罪。嘗上殿奏事云「天下壞人非重法。不足以示戒。嗣有犯者。請盡行誅戮」。帝曰「罪疑惟輕。與其殺不辜。甯失不經。聖王之存心也。爾爲此言。即天下之壞人也。』一叱之退。一日承審重案。因語涉親藩。卜年不問是否。奏置親藩於辟。帝怒其離間。着錦衣衛拏交法司。重杖一百。血流被體。死而復甦。罷職閒居。猶以不得行其志爲恨。旦夕懊惱。手足俱瘡。疼痛異常。如受桚夾者然。延高僧到家祈禳。僧曰:『官人居官多年。得無有遺憾乎。』卜年告以前二事。且曰:『吾爲國家剪除惡黨。非爲私也。奈何慘遭天罰。』僧曰:『世間壞人。亦有差等。豈可一概殺之。上帝好生。君此一念。已干天和。不少親藩。乃帝室之胄。焉可妄爲波及。君欲刑人。而適以自刑。欲禍人。而適以自禍。天報昭昭。君之受罰。恐不止是也。』卜年不勝愧悔。

過入人罪(一)

五代時歐陽過判大理寺。有溧陽令余紹卿。坐事下獄。罪不至死。

遇輒坐以死。伏法之日。人皆寃之。自後常見紹卿隨逐不捨。懼而詣廬山。請九天採訪使。設三日黃籙以求解釋。夜分方俯伏間。見紹卿在側。遂發狂而起。至殿下一跌大叫而死。

過入人罪（二）

鏡湖有武姓者。患癩症。娶妻藍氏。婥約多情。憎嫌其夫。常有桑間濮上之事。一日癩子遠出傭工。氏約所歡。閉門行淫。有少年五人。長者十七八歲。幼者十五六歲。知氏屋中有人。取草一束。燃着大喊有火。其意不過嚇走姦夫。以博一笑。並非捉姦。亦無渾水拏魚之意。鄰婦惠氏。聽門外笑聲震天。埋怨藍氏曰。「爲爾一人不謹。累衆鄰減色。俟爾夫回。另遷別處。此地萬不能容。」藍氏懷慚。即於是夜投繯殞命。地方報官。其邑令鄭某綽號「剝皮」。赴屍場相驗。即拘五少年到案。嚴刑拷訊。伊等自幼父母嬌養。不能受刑。俱誣服。遂以放火攢姦逼死烈婦。斷五人律斬。藍氏請旌。五人赴法場時。俱攤軟無魂魄。見者酸心。其父兄持牲酒香楮。抱持痛哭。鄭監斬。見之。愈加震怒。云「生此不肖子弟。奚以哭爲」。各責三十板。後藍氏濫受旌表。天遣雷火碎其坊。焚其屍。鄭貪酷革職。生五子。俱長成。前五少年一日各附一身。指鄭而罵曰。「我輩被汝枉殺。今來相報」。五子俱口鼻流血。舌出數寸而死。

徇情濫刑

蘇府曾遇一相士。謂當至尚書二品。後至三品。病亟。夢神告曰。「公命不可爲矣」。公因延相者。言神曰：「相實不妄。因公作桂府時。有二吏訟其縣令、公爲令杖殺之。故減壽二年。不至二品耳」

殉情誤殺

陳軒未第時。夢一官府。有兩高門。門各有字。一曰：「左丞陳軒。」一曰「右丞黃履」。後履官至右丞。軒止龍圖閣學士。暮年與諸子曰：「吾白屋起家。不作欺心事。今位不副夢。何也。因思昔守杭州。有達官以一老兵執送。欲杖之。此兵年過七十。不應杖。遂令贖。達官執意。遂呼八行決。死杖下。今二十年。恆以自咎。違法殉情殺人。招譴宜。不登顯位。汝等切宜戒之。」

疑駁誤殺

趙時作無爲軍教授。夢一囚曰：「某不幸爲祖翔枉殺。」時曰：「祖公明法律。且廉謹。安有枉乎。」囚曰：「某死雖非翔意。因其無端疑駁。遂致死地。寃有所自。非翔而誰。某已訴冥司。翔不久人世矣。」一月餘而卒。

成見誤殺（一）

閻公巡撫南京。有誣鎭江民周志廉主盜者。廉乃富民也。畏刑以貨囑權貴請寬。公益疑之。竟杖殺廉。已而鎭江郡丞盧仁上謁公曰：「汝何故帶囚犯周志廉來。」仁茫然。公復厲聲曰：「皂隸傍邊立者廉也。」是日卽昏眩仆地。未幾遂死。按陳軒之杖死老兵。猶曰狥情耳。至閻公之以廉行賂。疑其爲盜主。可謂正矣。然殺非其罪。寃魂尚爾不散。何况苟且決斷。妄行慘殛乎。

成見誤殺（二）

仙遊縣令宋某。素性方嚴。以包老自命。某村有王監生者。姦佃戶之妻。而嫌其本夫在家。乃賄算命者告其夫。以在家流年不利。遠遊則厄可免。本夫信之。告王監生。王遂借之資本。令貿易四川。三年不歸。村人遂喧傳某佃戶被王監生謀死矣。宋素聞此語。欲雪其冤。一日過某村。有旋風起於轎前。迹之風從井中出。遣人淘井。得男子腐尸。信為某佃。立拘王監生與某佃妻。嚴刑拷訊。俱自認謀害本夫。遂置之於法。邑人稱為宋龍圖。演成戲本。沿村彈唱。又一年。某佃自四川歸。甫入城。見戲臺上演王監生事。就觀之。方知其妻業已冤死。登時大慟。號控於省城。臬司某為之申理。宋知縣以故勘平人致死抵罪。仙遊人為之歌曰：「瞎唱姦夫殺本夫。眞龍圖變假龍圖。寄言民牧須詳慎。莫恃官清膽氣粗。」蓋清乾隆四十年間事。

成見誤殺（三）

李若水為淮南司理。有刼賊五人事敗繫獄。言曾與僧自成為黨。既而五人已就戮。而僧方追出。極口稱冤。若水堅執盜語。拷訊之。夜以濕紙糊僧口鼻。壓以土囊。須臾臍腹皆裂。遂死。月餘。獄吏李能忽大叫曰「和尚不干我事。特司理驅使耳。」言訖而絕。明日推司劉元亦暴卒。又明日。若水小腹絞痛。號呼死。未幾一門皆病殂。殆無遺類。

成見誤殺（四）

明馬炳然正統間登第。令嘉興。有盜刼庫。焚掠而去。或稱盜夥中長髯。狀適報團風有舟載二十餘人。中有長髯者。雖踪跡可疑。而實非也。馬執之而不察。以獲盜報。盡斃之。獄馬秩滿召為御史。而眞盜為他郡所獲。部使者以馬故。竟寢前誤不究。馬遷至都御史。

舟泊團風。爲流賊所殺。盡室殲焉。

輕信囑托

皇甫某。浙江人。乾隆間進士。爲某邑知縣。官罷後。主講笠澤書院。其人故長者。授徒有方。邑人士亦親愛之。而暮年殊困頓。有一子已登賢書而暴卒。惟老夫婦兩人寄居吳江。亦相繼而歿。嘗語人曰：『吾爲某邑知縣時。有門生某有才無行。中鄉榜後。嫌已聘妻貧。誣以有外遇。此女適病鼓脹。乃指爲有孕。控於吾。乞斷離。吾信之。拘此女詢於公庭。不容置辨。女性故烈。袖出刀自剖其腹。急救不及。遂死。於是事上聞。某門生抵罪。而吾亦坐是免官。心殊惴惴。無何。吾子白晝覩女來。卒死。今吾夫婦老而無依。行見爲他鄉餒鬼。報亦酷矣。』聞者無不酸鼻。當官者輕信之弊。至於如此。可畏也哉。

誤聽偏斷

明崇禎末年。吳江民張士栢妻陳氏少寡而艾。栢兄士松私鬻於里豪徐洪爲妾。氏不知也。松料其志不可奪。先令鄰人俞嫗託故假宿。夜半啓扉。擁入扶往舟中。氏號慟抵死不可犯。其父陳俊訟之直指。委邑令章日炌鞫之。徐洪賄豪宦飾詞以進。反坐氏以罵夫之律。撈指批頰。繫之獄中。氏飲泣絕粒者三日。適司李至聞其寃。卒氏入訴直指。路振飛訴畢。即自刎。血湧仆地。直指急下堂拱揖。許以雪寃。目乃瞑。即日拜章。士松徐洪等斃杖下。令坐貶歸見滿船皆鬼。夕即死。俞嫗亦暴死。豪宦某病瘖啞。終身不能言。

憑胸臆斷

明陳良謨曰：「正德乙卯，謨北上至王家渡，同泊數舟，皆舉子。俄聞毆誶聲，則予家僮與人鬭。予責家僮，諭遣其人去。坐中一同年，新淦人也，攘臂怒罵曰：「咄！爾何人，敢集多人上官船行刧，反謂我舟人毆爾耶。」呼縛而撻之。其人叩頭哀乞，乃叱去。在座者皆稱其能。已亦洋洋自得，謂予曰：「兄何迂哉！今之爲官者，天理人心四字用不著矣。」予憮然不答。其人後爲紹興推官，惟憑胸臆虐民。以考察降調，疽發背死，無子。」

第二篇　椽屬　書記　吏警

第一章　善例

焚卷全人

錢唐包棨順治辛卯。浙闈中式。撤棘日。主司見其年踰不惑。長不滿三尺。宛然稚子也。謂人曰：「其貌不揚。不知何修至此。」有知之者曰：「此天報之也。」清師破紹興時。或誣紳衿三十餘家叛逆。密揭貝勒。貝勒緘發撫軍張存仁。揭偶墮地。棨爲記室。拾而火之。張問棨。棨曰：「火之矣。」張大驚。棨請自解貝勒。請死。棨又自作解文。言童子包棨不識字。誤焚文書。請治罪。貝勒見其繭收蛸綂。以爲果小孩也。竟釋之。三十餘家得以保全。不寃。棨之中式實陰德所致也。

焚冊救人

清時廖封翁某充臺灣郡吏。因海盜案發。翁知多所株連。因取海盜冊私焚之。蓋活人以千計。後封翁之子相繼登科第。長鴻翔嘉慶戊寅舉人。次鴻禧道光乙酉舉人。次鴻苞嘉慶丁丑進士。次鴻藻嘉慶己丑進士。次鴻荃己巳榜眼。

出錢救人

江某爲鍾祥縣刑幕。縣有獄。已問重辟。援例得免死。令列案詳臬司。臬司不允。令恐欺囚。心甚惶惑。江勸令請之撫軍。令慮觸臬司怒。因循未果。而囚將解省。過堂。江乃焚香祝天。爲令作一稟。委曲懇。撫軍諭臬司寬之。强令用印。自出千錢。付捷足投撫轅。撫臺閱稟。惻然。即語臬司釋之。江止一子。偶坐舟。其子落水。正號救間。見前舟撈一童上船。父往視之。則其子也。

息獄寧人（一）

清無錫孫春臺中丞。平叔之父也。爲諸生時。入廣東布政使胡文伯幕中。值土司爭釁。襲相訐告。驗之皆明時印璽。總督將擬以私造符信比叛逆律當斬。株連者尤衆。公先具私稿袖以見胡曰：「土酋意在承襲。無他志。豈宜妄從叛逆坐之」胡曰：「是督撫意且限迫。安能倉卒易稿」公乃出所具示之。胡讀竟大喜。陳於督撫。從之。得活者二百餘人。及公巡撫廣西時。安南諸大校莫黎鄭阮各姓相吞噬久矣。先是黎氏殘莫氏而據其國。其臣鄭檢尋篡之。阮惠復誅鄭並逐黎氏。乾隆間黎維祈敂關求內附。時清朝已遣福文襄總督兩廣。將議討。公密陳曰：「黎阮相吞噬。外夷之常聞安南深懾天威。可以折箠使也」文襄然之。未幾阮悔罪自陳。乞效職貢。公由舉人中書。躋顯要。常以未登甲科爲憾。後平叔由詞林登制府。平叔之子。又由進士出身。則公之貽穀也大矣。

息獄寧人（二）

姚升階山陰人游幕十餘年無刻不以息事爲念偶罪一人則旁皇周至行坐飲食悉爲之不怡眞仁人也子塘乾隆壬申舉人肅州州同告養歸侍先生躬膺敕封與德配白首相莊安養二十餘年見家孫斌游庠年八十餘無疾而終

體恤保全

明須澄本爲幕賓工於文而屢試屢困又苦無嗣後遇神人告以作幕當行陰隲遂於幕中時時體恤保全事事公平明斷行之三年鄉會聯捷生五子俱讀書登第孫枝林立皆嗣書香壽至九十八無疾而終

死案求生（一）

睢陽田姓充府刑書。凡州縣詳到刑案。夜秉燭詳閱。稍得一間生路。即批駁囘下。自云「有死案而求其生者七十五人」後五十八歲。生一子。甚聰穎。十三歲撥芹。十六歲赴秋試。田某夢其亡父告曰「今年吾孫中七十五名。以爾身爲刑書救人甚多。中之名數。適如救之數。」揭曉果應。後其子官至中丞。

死案求生（二）

楊硯耕爲臨晉縣幕。縣有弟毆胞兄至死。鞫實擬罪。夜臥。聞帳鉤鳴。驚寤。有老人跪牀前叩頭。叱之不見。几上紙翻動有聲。急起視即擬罪稿也。反覆細審。罪實無枉。惟兇手四世單傳。其父始生二子。一死非命。一又伏辜。則五世之祀絕矣。因毀稿存疑。後遇赦。是案竟以疑宥。楊後享高壽。

却金伸冤（一）

范標浙江人。老於作幕。識卓而性執。凡事只據理行。每與東翁意見不合。輒辭去。年六旬。陝西清澗縣令。聘入幕中。時有富宦將伊佃戶打死。屍親告狀。富宦央人賂東翁八百金。并謝標二百金。囑令講息完其事。標諫曰：「死者之冤不伸。打不過自心。卻其金不受。」東翁意不決。標大聲曰：「我賓主受千金。饒其罪。恐閻王不愛千金。饒我賓主罪也。」東翁悚然曰：「我心亦打不過去。」遂問富宦抵償。標一日辭幕回家。夢神告曰：「汝壽止六十五歲。因汝卻金伸冤。增一紀矣。」後果享壽七旬有七。無疾而逝。

却金伸冤（二）

武林劉某。博學通曉吏事。其友官於閩。聘劉爲幕賓。時有富室因姦致死一良婦。密將五百金囑劉曰：「果爲末減。當更有酬。」劉卻之曰：「明有王法。幽有鬼神。乃欲以此脫罪乎。」亟白其友。論罪如律。劉在幕舍七年。慮心參酌。無一苟且情弊。友大信之。家亦漸豐。其後子孫科甲蟬聯。累世不絕。

忤旨伸冤

陳舊爲開封府曹時。章獻太后臨朝。太后族人杖殺一卒。公當驗屍。太后遣中使十數輩。諭旨吏懼。欲以病死聞。舊獨正色曰：「彼實冤死。待我而伸。奈何懼罪。驗不以實乎。汝等勿憂。吾當任咎。」奏入。雖大忤旨。舊亦不及罪。由是著名。不數年。歷臺省。官至三司。

救冤拒色（一）

明弘治中。太倉顧芳爲州掾。嘗主於城外賣餅江家。江被仇誣盜。

下獄。芳知其寃。白之官。得釋。江夫婦攜其女至。年十七。甚美。曰：「感君之恩。無以爲報。願以女爲妾」。芳固却之。其後江翁貧。鬻女於商。又數年。芳考滿赴京。撥韓侍郎門下辦事。一日以事謁。値侍郎他往。因坐堂檻候之。適夫人出。急趨避。夫人一見。卽召之。芳跪階下。叩頭匍伏。夫人曰：「起起。君非太倉顧提控乎」。曰：「是也」。夫人曰：「識我否」。芳愕然。夫人曰：「妾卽賣餅女也。自違君後。賴某商以女畜之。嫁充相公副室。尋繼正閫。今日富貴。秋毫皆君賜也。每恨無由報德。今得遇於此。幸甚」。侍郎歸。夫人語其事。侍郎曰：「仁人也」。奏於朝。孝宗稱歎。卽命除禮部主事。生三子。俱登第。

救寃拒色（二）

明萬歷戊戌科狀元趙秉忠之父某作邑椽。有襲陰指揮繫寃獄。趙力出之。指揮極感愧。無所報。請以女奉箕箒。趙搖手曰：「此名家女。使不得。」強之。又搖手曰：「使不得。」畢竟不從。後其子上公車。途有附其輿者曰：「使不得的中狀元。」如是者再。及第歸語其父。父太息曰：「此二十年前事。吾未嘗告人。何神明之告爾也。」

救寃拒色（三）

明嘉靖朝。林狀元大欽其封翁為潮郡刑房吏。矜恤疑獄。哀憫繫寃。偶一人啣寃陷辟。翁謀與雪。不能得策。乃朝夕祈禱冀賜以救之之道。一夕夢神示曰：「某按院讞語。致疑某刑官招詳未確。乘此辯之可見罪非其有。」曉即代為作詞上訴。果獲釋。其人感德念久禁家貧無以爲報。知翁未嗣。欲以女歸之。翁不許。越數日延翁醉扶密室扃女同寢。翁覺曰：「不可。」女曰：「父蒙翁再生。命妾奉事以酬恩德。」翁又曰：「不可。」女復曰：「此出父命。且昏夜人無知者。」翁凝嚴若此。無乃負父片心矣。」翁曰：「不可。」起去。後遂不過其門。年五十。產狀元。少小奇穎。人皆以爲石麟。鄉薦北上。入京店。主人夢神語曰：「明日林三不可子來寓。乃今科狀元。汝宜敬禮。」已而放榜果然。主人以夢告。狀元思三不可非父混名。何以神有預言。歸以白母。方知封翁之隱德。人所不喻。惟母夫人知之也。

救冤聯捷

杭州景江錦游幕嶺南潮州。署其父亦客兩粤制府幕中。俱深信報應之理。時江錦已年逾四旬。淡於仕進。且戀潮州美地。東金頗優。決意不復秋試。乾隆辛卯大比。父連札三四促其旋里。最後一札云「如不急回。以不孝論。」不得已怏怏假裝入闈。遂中亞魁。聯捷分部。未幾放潮州知府。竟如夙願。蓋江錦鄉舉之前。辦一扳誣盜案。曾救活七十五命故也。

雪冤興家

于公。漢時東海人。爲縣獄吏。東海有孝婦。寡居不嫁。養其姑。姑恐妨婦嫁。自縊死。姑女誣告婦迫死其母。婦不能辨。于公爭之不得。孝婦死。東海旱三年。後太守來。公言其故。祭孝婦墓。遂雨。凡所平決。皆允服。于公門閭壞。父老與謀治之。公曰「可高大其門閭。令容駟馬車蓋。我治獄多陰德。未嘗有所冤枉。子孫必有興者」後其子定國果爲丞相，封西平侯；孫永，侶爲御史大夫。此以治獄廣行陰隲者也。

活四種德(一)

宋李仕衡爲鄠縣主簿，田重進守京兆，命仕衡鞫死囚五人，活者四人；重進即其家謂曰：「子有陰德，此門當高大之。」後拜尙書左丞，子爲司農。

活四種德(二)

黃鏞典試閩中，校文日，有一卷黜落。晝忽寐，夢一老嫗至案前哀告曰：「吾孫今歲當得解，妾爲上帝遣至看護，該卷適被公黜落，妾已攜至案上矣，乞爲陶鑄。」夢覺，則所黜卷果在案。細閱之，復棄。夜又夢嫗告如初，且言：「其夫前爲州司推款吏，嘗活二囚，有此陰功。故上帝勅吾孫膺預鄉薦。公乃逆天可乎。』晨起。吊後二一場閱之論果佳。因取充解數。及揭曉。視之則論亦無甚高也。

委曲活囚

商輅父。嘗爲嚴州府吏。勸同輩。恭公守法。不可舞文害人。衆吏皆聽命。諸縣囚解至。必委曲中救。多所全活。一夕。太守遙見吏舍有光跡之非火也。翌旦問衆吏家夜來有何事。商對曰。「小吏生一子。」太守異之。謂曰。「此子必貴。彌月。當爲我抱視。」及期抱至堂太守。驚羨。命張黃羅蓋。送還。公後舉三子皆顯

救濟囚徒

明楊士徵。鄞之鏡川里人。初爲縣吏。存心仁厚。守法公平。時縣令嚴酷。脅撻一囚。流血滿前。怒猶未息。楊跪而寬解之。且曰。「如得

其情哀矜勿喜喜且不可況於怒乎』由是宰爲竇容家甚貧餽遺一無所取遇囚乏食多方濟之一日有新囚數人待哺甚急家無第二日糧因問囚從何來曰『來自杭忍飢久矣』乃撤己之米煮粥濟之後生子守陳累官翰林學士贈如其爵（按）自己之餓尚在本日諸囚之餓已在前日如此一較與其自飽無寧給囚楊公設想自應爾爾

盡力平反

嘉善支立之父爲刑房吏有囚無辜陷重辟意哀之欲求其生因語其妻曰『支公嘉意憫無以報明日延之下鄉汝以身事之彼或肯用意則我可生也』其妻泣而聽命及至妻自出勸酒具告以夫意支不聽卒爲盡力平反之囚出獄夫妻登門叩謝曰『公

如此厚德。晚世所稀。今無子。吾有弱女。送爲箕帚妾。」一支爲備愷
而納之。生立弱冠中魁。官至翰林孔目。立生高。高生祿。皆貢爲學
博。祿生大綸。登第。

治獄仁恕

蕭山韓其相。少工刀筆。久困場屋。且無子。已絕意進取矣。清雍正
癸卯在公安幕。夢神語曰：「汝因筆孽多。盡削祿嗣。今治獄仁恕。
畀汝科名及子。其速歸。」未以爲信。次夕夢復然。時已七月。答以
試期不及。神曰：「吾能送汝也。」寤而急理歸裝。江行風利。八月
初二日抵杭州。以遺才入闈。果中式。明年又舉一子。韓每爲幕友
言之。

治獄慈愼

唐我佩會稽人久幕江蘇治獄慈愼有唐老佛之稱子廷櫆乾隆辛未進士令江西時唐猶親享祿養焉

按法平允

後漢虞詡之祖經爲縣獄吏案法平允每冬月上其狀恆流涕隨之嘗曰「東海于公高爲里門而子卒至丞相吾決獄六十年雖不及于公其庶幾乎子孫何必不爲九卿耶」至詡果至尚書令

宿獄探情

嘉興屠康僖初爲刑部主事宿獄中細詢諸囚情狀得無辜者若干人公不自以爲功密疏其事以白堂官後朝審堂官摘其語訊諸囚無不服者釋寃抑十餘人一時輦下咸頌尚書之明公復稟曰「輦轂之下尚多寃民四海之廣兆民之衆豈無枉者宜五年

差一減刑官衆實而平反之尙書爲奏允其議時公亦差減刑之列夢一神告之曰「汝命無子今減刑之議深合天心上帝賜汝三子皆衣紫腰金」是夕夫人有娠後生三子皆顯官

四爲禮佛

唐韋仁壽寬厚有識初爲蜀郡司法書佐所論囚至市猶西向爲仁壽禮佛然後死

仁術恤人

湖州韓某忠厚好善嘗爲府中皂隸時遇一官酷虐每行杖必要三板見血受杖者不勝其苦韓密鑽杖下一孔藏猪血於中復以竹片鑲好不使人知持以杖不及三板而猪血濺出人陰受其福者不少又凡於衙門中隨事方便委曲救人見詐索人財者往往

爲之勸解終身不倦後生子爲參政

拾金不昧

吳縣有差役。在縣前拾得銀六兩五錢。移時一白髮老人。偕妻哭至。言欠官稅。賣女完納。至此失去。今不得生矣。役憐而還之。事聞於官。賜花酒獎賞。年四十。僅一子。病死。妻曰：「君屢言改惡從善。何反喪其子耶」。役不解其故。乃赴訴於廟。夜示夢曰：「汝不記昔年詐某人金而戕其命。今此子卽其人投生以復仇者。因汝還金一事。陰司註銷前孽。故收去。若善心不替。當另有子。」生覺。語其妻。妻曰：「我夢亦同。」次年果生子。

第二章　惡例

輕傳婦女

孫景溪先生言。作令吳橋時。所延刑名幕客葉某者。才士也。一夕方飲酒。偃仆於地。涎沫橫流。氣不絕如縷。歷二時而甦。次日齋沐閉戶。書黃紙疏。親赴城隍廟拜燬。回署後眠食若平常。越六日又如前偃仆。良久復起。則請遷居外寓。詢其故。曰：「吾八年前館山東館陶。有士人告惡少子調其婦者。當核稿時。欲屬居停專懲惡少子。不必提婦對質。友人謝某云。『此婦當有、姦首。盍寓自焉。』余以法合到官。遂喚之。已而婦投繯死。惡少亦坐法死。今惡少子控於冥府。謂婦不死。則渠無死法。而婦之死。實由內幕之傳喚。館陶城隍神。關提質理。昨具疏申剖。謂婦被惡少子所調。法合到官。且喚婦之說。起於謝某。城隍神批准。關覆是以數日幸得無恙。須又奉提謂婦被調之後夫已告官原無意於死及官傳質審始忿激捐生而傳質之意在窺其色非理其冤念雖起於謝某筆實主於葉某謝已攝至葉不容寬余必不免矣」遂爲之移寓於外越夕而殞夫以法所應傳之婦起念不端尚不能倖逃陰譴況法之可以不傳者乎

拘經臆斷

江南諸生某工詩文尤精楷隸先達咸器重之家素寒以訓課自給中州某邑宰慕其名延之課子邑中有因姦殺其本夫者宰推鞫情狀婦實不知情爰書將定矣會中秋宰宴諸友偶論及之幕僚謂宜按律擬絞衆咸以爲然生獨折之曰「婦既二心焉得不知且釁所自起也如公等議春秋討賊之義謂何」反覆辨難莫

之能屈。衆爲所奪。竟如生言。周納爲知情。改擬凌遲。律未幾婦伏法。而生以偶爾縱談。事過亦不復置意。越年忽嬰嗽疾。久不愈。憊甚。辭歸。行數日疾略減。一夕宿逆旅。又值中秋。徘徊月下。意頗自適。突有婦人至前曰：「爾亦嗽」。嗽果應聲發。後少瘥。見婦至輒嗽。乃力疾抵家。語其故。皆惶惑莫解。因念生平。於婦女無虧心事。究不知是何孽報也。祈禱百出。委頓益劇。見前婦復來。謂曰：「我即某縣某氏也。失行有之。謀毒吾夫。實未與知。爾腐儒拘牽經義。妄逞臆斷。致我蒙殺夫之罪。受極慘之刑。此心何能甘也。業已訟之冥府。逮爾赴質矣。哀祈奚益」。越日果歿。

臆斷失出

錢某在江南某縣。幕夜夢泣訴者曰：「吾某人也。實爲某毆而死。

君隱爲誤傷而欲寬之非也。須速改正。次早白主人。則案已上詳。私念府司必行駁。爲改正未晚也。不意上官竟如所擬從寬結案。令以案由已定不便詳文申辨。遂置不論。未幾家書至。錢只一子。竟暴卒。觀此乃知命案所關。不獨失入不可。即失出亦不可。當此任者。須細心推敲。不得自倚意見。妄生疑竇。以致誤斷。萬一有誤。急須申理改正。勿視讞獄爲等閒也。

受賄入重

陸儀秀州書吏也。有一囚當杖死。因受仇家厚賂。遂誣淩遲處死。後儀事發。責革。家貧鶉結。又充工案貼書。死囚魂恆隨之。每於陰雨見囚立前。陸曰：「汝且去。吾自來償汝。」不數月。吐血死。

受賄陷人

蘇州府吏何應元生子名紳方四歲至外祖家路經凌家山至更餘忽見人馬燈火來遇兒至卽驚避曰「何爺在此當避之」於是人馬燈火俱從他道去乳母同述其事應元以子必貴年十七忽雙瞽應元恚甚聞直塘有道士能召神因叩之神附乩云「汝子應得科第只因汝作吏時受人之賄曾造款單陷數人於獄天絕爾嗣此子將生有德之家矣」未幾紳果死

助成大獄

清乾隆末閩省虧空之案發於福州將軍魁倫蓋鎭閩日久熟知其詳而司章奏者爲福州林樾亭文筆頗雄敷陳詳盡奏入感動清帝立授魁倫爲閩督使窮治其事遂成大獄踰年魁倫丁憂回京樾亭亦赴部謁選見太傅朱文正公樾亭本文正公高足公於

其來厲色待之曰：「魁某興大獄。聞皆汝慫恿之信乎。」樾亭力辨其無。且謂「虧空於理應辦。不料清查之決裂至此耳。」公曰：「汝代人捉刀。固應末減。若魁某之好殺。斷無好結局。且靜觀之。」無何魁倫授四川總督。以致匪偷渡嘉陵江。失機伏法。樾亭遷四川彭縣調江津。旋被檄委辦藏務。卒於西陲邊外。

逢迎助惡

楊詢性巧媚。善揣人意。以得其歡。丹陽尹楊開性暴橫。每事與謀。詢明知其非。不敢忤。歎美而已。開於盛暑中杖公吏及囚繫者四十餘人。二人已死。詢猶盛稱其快。後詢夢金紫者譴之曰：「成楊開之惡者。汝也。應與同罪。」數日二人先後皆以惡疾暴死。

枉斷奪兒

高主簿眉山人。生子眉郎。慧而殀。深悼之。主簿忽暴卒復甦。言有二吏來召至一處。如州城。俄見一人着道衣手持念珠而出。熟視之。乃其父也。責之曰「汝有不公當事。曾知否」問何事。父曰「汝枉斷遞鋪殺人事。天故奪汝愛兒。賴汝有陰隲。未遂奪汝壽。汝今還世。切須事君忠。事長順。不可為巳營私。戒殺戒淫戒貪戒怒。但依吾教。可保天年。否則祿壽俱削也。」

枉斷減算

合州都吏孫亮一日見冥吏來追。亮曰「相者謂吾壽七十三。今方六十二。豈誤追耶」一吏曰「汝有陰譴者三。故減十一年耳」郡人馮滿訟婚事。理直。而汝曲之。減三年。吏人孫侑無罪。汝顧取悅于太守。譖而撻之。又減三年。汝從母怒汝。汝推之仆地。又減五年。今已盡矣。」亮無以對。遂卒。

曲按冤報

廬陵吏曲按一僧獄。方具妻女在家。忽見二青衣卒手執文書自廚中出。謂妻曰：「語爾夫。無枉殺僧。」遂出門去。妻女驚怪流汗。視其門扃閉如故。吏歸具告之。吏恐甚。明日將竊其案。已無及矣。竟殺僧。僧死之日。即遇諸塗。百計禳謝不獲。旬日竟死。

嚇詐妄取

明張一索者。京師刑官差役也。謀票拘人。動以一大鐵索自隨。得錢快意。方行釋放。上結書吏。下構禁兵。妄取嚇詐。無所不為。三年之內。致成巨富。人皆望而畏之。故號曰：「一索云」。後被孔巡按訪拿處死。財產抄助軍餉。妻女發入教坊。

唆盜誣詐

「金華王某」家甚殷。深秋時天忽雷雨。有一人奔至。避雨於門。自稱縣吏。王某因止之宿。具雞黍。設帳榻以待。吏見其貲饒。臥榻工巧萌覬覦心。去未逾月。縣獲大盜。誣扳王某。王某不測其由。即挽吏營免。所費大半入吏橐中。復索前榻為謝。王某猶感恩不置。口值嚴冬。王某登樓玩雪。見前吏負一黃袱。望門而來。竟入牛欄中。甚怪之。語其妻。妻曰：『緣汝想極。故目眩成形耳。但一往訪。便知虛實矣。』王某至縣。問守門隸。對曰：『此吏三日前已死。汝何問為。』因數其平日設心奸險。囑盜誣詐之由。王某駭然。歸視牛欄。果生一犢。腹皆斑色。試以縣吏呼之。輒俛首作赧狀。乃知即前吏託生也。

無惡不作

張和爲差役。心惡毒。綽號張憲忠。謂其殺人無厭。儼如流賊也。常坐酒肆茶館。聽旁人說話。以小摺記之。生端詐害。若不遂意。或囑盜誣扳。或命案牽累。不破其家不止。(一)寡婦與幼女度日。和百計謀姦。強娶爲妾。並淫其女。又疑婦有外情。挷縛四肢。用麵杖通其私。立死。復賣其女爲娼。(一)富戶家臨溪畔。適上流有屍浮下。和冒認屍親。誣指富戶謀殺。監禁獄中。詐銀數百兩。賄囑禁卒斃富戶於獄。其子赴上控告。和囑盜於山僻無人之處。將其子推落崖岸而死。致富戶一門俱絕。(一)幼尼頗有姿色。和夜夜借宿強姦之。尼不能拒。焚香訴佛自縊。師畏勢不敢報官。(一)某典史與和相交甚厚。每有詞狀。和俱代爲說合。過付錢物。均分。某任滿積有千金。挈家同籍。和卒無賴。假云遠送。至中途搶奪一空。某因平時往來俱有筆據。且微員不應有千金。不敢聲張。負屈投河。妻孥流落。(一)古寺有銅觀音。和詭云請歸供養。截爲數段。賣銀入已。一日和誕辰。親友畢集。正飲酒間。和忽擲盃瞋目大呼曰：「冤對來矣」暈絕于地。稍時。作寡婦聲曰：「你强佔我母女。又將我慘殺。理該抵命。」和應曰：「該抵。」躍起取廚刀自割其勢。又作富戶父子聲曰：「爾謀我家財。又傷我命。理該抵命。」和應曰：「該抵。」用刀割其耳。挖其兩目。又作幼尼之聲曰：「我出家修行。被爾强姦自縊。我奉觀音菩薩法旨。要爾抵命。」和連聲曰：「該抵」用刀截其鼻。斷其左手五指。又作典史聲曰：「我與爾相交。只說爾是好人。誰知爾包藏不良之心。害我身死家亡。今日相逢。叫爾一一現報。』和自用刀先剁四肢。次屠腸。次刎斷其首。拋擲。零落。慘剮碎剝而死。未一年。家被火焚。妻女不能自存。報亦極矣。

迫姦囚婦

正德丙寅。青山縣山農陳好。密為仇家所陷。誣以盜礦。逃於外。其妻詹氏年二十一。貌甚美。捕卒四人繫之官。日暮行僻途。各欲汚之。詹度不免。視某中有一人。髯而勇。佯目之曰。『幸為我主持。勿令其亂。當至君家。惟君所欲。』髯卒喜。他卒涉邪。輒止之。至黃壇山。遇樵者。因借刀削其屐。削已。呼四卒曰。『吾擲屐林中。先得者即就歡。』四卒爭取屐。即引刀自刎死。卒驚走。時盛暑。暴尸旬日。蠅蟲不傷。面如生。縣令陳袞聞之。親為治殮。題其墓曰。『貞烈』杖四卒而斃之。

揑傷朦驗

正統間。某吏爲杭州錄事。有郡民某甲與某乙鬪毆。甲之母來勸解。遽仆地死。甲訴於郡。言乙以杖擊其腦致命。適錄事承檢腦骨唇齒皆重傷。乙遂招伏。繫獄兩載。遇赦。以非謀殺得宥。乙造錄事謝。因言與甲毆時。其母來力牽其子之裾。手脫仰跌。自磕其腦。昏絕於地。鄰里用剪刀挑其唇。灌以藥。不甦乃死。故兩處俱有傷。實未嘗擊之也。錄事問何故誣服。乙曰。「倉皇之際。惟恐加刑。屈意承罪。償命弗暇計也。」錄事爲之憮然。

第三篇　獄官

矜恤獄囚 (一)

孫一謙爲南都司獄。故事。重囚日米一升。爲獄卒盜減。至有不得食者。謙製一秤。秤米計飯。卯巳二時。持秤按名分給。囚乃得飽。有衣破者。卽爲澣補。獄卒無敢橫索一錢。終其官囚無凍餓淩虐之苦。後致仕歸。至鄱湖舟中。恍有迎爲某縣神者。數日後。長笑而逝。

矜恤獄囚(二)

紹興梁階平父爲刑部司獄。好潔囹圄。滌枷扭。暑月尤甚。飲食必加精潔。疾病爲之醫藥。又勸募當道善紳。捐置丸散膏丹。隨時應用。又夏施幬帳草蓆。冬施綿被綿衫。地之潮者。薰以蒼朮。隙有風者。遮以板木。尤必日夕巡視。見有獄卒橫索。囚長欺淩。諭以情理。警以果報。種種慈仁。只在當路者念頭動。舌頭動。筆頭動耳。二十年無一凍餓殘虐死者。子階平乾隆戊辰狀元。官宰相。

矜恤獄囚（三）

張慶汴人爲巡院司獄矜愼自持日躬持箒滌暑月尤勤每戒其徒曰「人罹於法豈得已哉我輩以司獄爲職若不知所恤則罪人何所赴訴耶」飲食湯藥臥具必加精潔嘗爲好言教囚果有罪當自招無誣良善以重己過故不拷訊而疑獄常決妻年四十八病疫神語之曰：「汝夫陰德大子孫當有興者汝且歸」明年子享生慶年八十二無疾終六子皆顯人生之福刑獄爲甚苟能於此體察則所全實多而況調護如張公哉吾安得天下之爲獄吏者盡如張公

矜恤獄囚（四）

明嘉靖年南海雷軒黃公其祖爲典史凡獄中重囚陷於寃者每

爲謀衣食倩人控訴務得超釋而後已時有指揮陷於重辟公知其非罪力爲出脫後指揮因以軍功陞粵東總兵奉命征剿番清從三縣山寇公年老久辭臬椽鄉居聞官兵已將數十鄉重圍公謂鄉人曰「今所困之鄉爲寇者固多然良善不少當詣軍前陳告或可免難」卽率鄉人叩營乞求摘剿總戎見公喜曰「爾黃椽也言必當理」遂如公請卽申督撫存活男婦老幼十萬餘口於是生雷軒公少穎悟舉於鄉作宰有惠政擢吏部掌選十三次以不受權貴私囑遂出參政雲南民依如慈父生六子五登科一發解孫三十人功名盛極一時

不淫女四

眞定曹鼐爲泰和典史因捕盜獲一美女于驛亭意欲就曹曹奮

然曰：「處子可犯乎。」取片紙書曹鼐不可四字焚之，終夜不亂。天明召其家領回。癸丑大廷對策。飄片紙墮几前有曹鼐不可四字。文思沛然。遂狀元及第。官至少傅。書焚片紙以遏淫思。飄來片紙以助文思。四字可以甲天下。人偏不肯效之。何耶。

侮辱獄囚

韓安國爲縣中大夫。坐法抵罪。獄吏田甲辱之。安國曰：「死灰獨不復燃乎。」曰：「燃卽溺之。」無何漢拜安國爲梁內史。甲亡匿。安國曰：「甲不就官我滅而族。」甲肉袒謝。安國曰：「公等足與較乎。」卒善遇之。安國後位至九卿。

拒賄護囚

朱清華亭獄卒也。獄有里民黃玉坐誣械繫。每云：「當有義兄相顧。「俄一人至。稱玉仇家。跪獻簪珥。求清斃玉。祭之。即玉素所云義兄也。其簪珥則玉妻出之。託以謀脫其夫者。清佯諾。入告玉。玉惶懼乞命。清曰「我決不爲此。當易銀米治汝食」。逾年玉病死。又助其妻買棺具殮。以畢前金。於是清改役爲堂隸矣。偶行郊外。遇玉至。呼云『荷君周濟。今在東嶽爲勾攝痘瘡司。願少圖報。城北大姓張翁。晚年生子。甫三歲。病疹垂死。君往治之。只用水一盂。香一炷。以手拍案呼黃玉者三。而噀其兒。三日必愈。可索三十金謝也。」清往。悉如其言。後朱以治痘致富。

第四編　律師

第一章　善例

解救冤苦

明餘杭蔣嘉家貧棄儒操刀筆藉之養親事祖母繼母以孝稱人有以冤苦投者無不救解一夕暴卒至廣庭中見王者呼曰汝壽當終念汝事祖事親篤孝懇至況復公門廣行方便吾今放汝回陽諦聽吾言夫公門案牘種種俱爲生民身命所關勿以賄賂未得置而不行勿以夙怨爲嫌因而敗壞勿以公門得勢乘威嚇詐勿以同事矛盾還怒浮沉執意苛求若能下筆恆施慈惠筆下超生調解曲爲周全舌邊種福彼雖不知而冥冥之中自有神明洞照當不論事之巨細身之閒忙人之知不知事之濟不濟皆盡我之心若力量能行勿圖報勿務名勿辭難勿始勤終怠實實落落耐心委曲成就而止若力量不能亦要懇懇勤勤蓋拯彼患難

全彼身名救彼一命活彼一家不獨一人所關實其祖宗父母妻兒相延之興廢也明兄鍾九載黃堂政治丕顯徐晞財色不苟濟困扶危歷官二品楊句減囚積德子奪大魁皆案牘中修爲得此榮顯特報盍倣而行之積德累仁日就月將福報不爽汝其念之一嘉回陽敬錄於廳事堂告親友在公門者其後濟人益力拯物益勤由吏曹辦事得陶文襄之舉歷官副憲子登第嘉壽至百歲

全人手足

休甯縣一蒙師家貧力學先曾向村中富人某借貸不應後富人死二子爭產兄欲訟弟先持厚儀求寫告詞蒙師謝曰「某雖嘗讀律蓋爲他年判獄之地豈肯爲人興訟」備述手足至情相爭共敗之事以警惕之其兄感悟後其弟來亦正訓止之弟大感服

歸家和顏事兄。兄愧慚。吐所侵。遂歡好如初。同心作家。俱以富聞。一日蒙師忽夢神來告曰：「汝有和人兄弟之功。上帝賜汝二子。令其兄弟同科。以報爾善。」後果連舉兩子。同捷賢書。

不肯枉造

蕭蘭玉山人。家住縣前。以書狀為生。每逢人做狀。先為十分勸息。不得已。方為寫狀。必叩其情實。方下筆。嘗數日不舉火。甯忍饑。不肯為人枉造。一語後家貧無計。發憤習武。官至總兵。

悔過免禍

閩人尹樂田。善刀筆。殺人多矣。夢神責曰：「汝惡已極。某年月日。死於兵。」尹誌之。踰時。有路姓妻美而豔。為富豪安姓所謀。欲訟之。求尹作狀。約日暮來取。路乏錢。命妻代取。囑曰：「如日暮宿借其寓可也。』婦至尹寓。天暝矣。尹問離此幾里。婦以夫言告尹。正色曰。「我獨居。安敢相留。」乃宿於鄰母家。比明。尹付以狀。并賠訟費。婦謝而去。迨尹附舟往外郡。日暮在途。爲盜所截。將殺尹。忽風起。盜俱墜溺。尹無恙。計其時。卽神示之年月日也。後享大壽。

第二章　惡例

顚倒是非（一）

吳江李某爲刀筆。顚倒是非。起滅詞訟。破人之家。以自肥橐。且熟知境內田賦戶口。索派徭賦。剋剝民財。凡長吏至。輒召問之。旣而執手相歡。終乃頤指惟命。日教長吏窮取民貲。長吏取其三。七歸於李。值巡按廉其狀。捕得之。械至途。厚賂縛者而逸。時四野無雲。忽然雷震而李死。其腹若刲。五臟如刳。人厭勿收。狗彘不食。

顛倒是非（二）

永福縣薛某工刀筆。每代人寫詞狀。翻亂是非。由是積有中人產。一日請道士鄭法林設醮。法林伏壇下。良久起。言表尾批云「一家付火司。人付水司。」不知何故。迨旬月。室中無故失火。家財燒盡。欲挾巧筆。過江糊口。中流桅折。擊身墜江而死。

顛倒是非（三）

陳棟臣者。武昌上舍生也。父工刀筆。翻雲覆雨。淆亂是非。人咸目為「鐵錐子」。死之日。舌如鍼刺。肉絲絲若寸裂。腐臭難聞。莫可嚮邇。其子不思幹蠱。尤而效之。遇鄰里有中人產者。輒陽與狎暱。而陰實傾軋。被其播弄者。百無一生。因呼為「小錐子」。蓋以以刀筆爲世業者也。有郭甲田舍翁也。與陳居距里許。薄有產。性貪鄙而趨勢利。年五旬。無嗣。聞張少尉家貲殷實。遂作相攸之舉。以行趨熱之奸。央冰媒。以女許字少尉子特。么鳳雛凰。委禽尙需時日。適兵燹頻仍。張屢遭賊掠。家業蕩然。其子亦被流寇裹脅而去。夫妻相對。欷歔無聊。不數年。相繼病亡。而室亦爲他人有矣。癸酉秋。張之子由滇南頓返故鄉。年亦在二十日冠之外。親族相慶再生。而父業蕩然。不得已操農務。藉免凍餒。旋訪幼聘郭氏女。尙在待年。又幸丈人峯巋然猶在。遺孀走告。庶覆巢孤卵。或賴以扶持。詎郭自少尉亡後。悔婚之念。久蓄於中。消聞張子生還。又有求恤之請。亟謀於陳。曰：「急擇紈袴嫁之。何必向窮波斯饒舌耶。」郭曰：「選壻良難。」陳曰：「僕鄰魏乙有兒。翩翩年少。又有負郭田百頭爲君乘龍。則玉璫金釧。可稱合璧。」郭曰：「信如君言。自當厚謝。即煩作伐何如。」陳隨赴魏宅說婚事。議就。郭喜甚。諏吉速嫁之。冀以觖張之望。結褵之後。張子偵知。登郭堂執理爭論。郭忿然作色曰：「窮措大不自羞死。尙設作偶想耶。」唾之而去。張自歎一貧至此。將奈之何。返告父老。皆悻悻爲之不平。因以嫌貧悔婚控郭於邑。郭得耗。又謀於陳。陳曰：「悔婚之罪。律有明條。倘吝通神十萬錢。則一着錯而滿盤俱錯矣。僕與令善。當乞偏師以搗之。」未數日。琴堂就鞫。令問張「在外久。何不歸?」張曰：「被賊脅從。欲歸不得也。」又問「既聘郭氏。何人執柯。」張曰：「年幼不知。皆父之命。」令曰：「豈有議婚而無媒妁者。」又問郭。郭曰：「二十年前兩小戲嬉。張父曾有訂婚之說。至今亦茫不記憶。況十餘年後始以女適魏。如張言。是使被兵之地。鴛鴦譜皆可翻亂矣。居心實屬叵測。陳又從旁袒護之。以致張不能辨。令遂仍以郭女斷歸魏姓。張有族人某孝廉。稔知其事。心不能平。密自具牒禱於神。未及一月。而小錐子忽自批其頰曰：「破人婚姻。上干天譴。翌午當先絕其嗣。」一夜未半。陳子忽從帳躍出。口嘔血溢地盈尺。喃喃似與人辯駁狀。甚駭異。移時倒地氣絕。陳某痛子暴亡。時昏時醒。日夜呼臀疼。妻視之。血縷縷然。橫裂股際。按之。則痛不可忍。惟呻吟牀褥間。月餘亦死。而血祀自此斬也。識者以為訟師之果報。前後如出一轍焉。

教唆爭訟(一)

黃鑑。蘇衛人。其父慣教唆爭訟。蕩人產業。致人冤獄。後鑑弱冠登正統壬辰進士。郡人皆嘆天道無知。天順間。鑑陞大理寺少卿。一日上御內閣。得鑑於景泰中有禁錮天順疏。立時伏誅。合家斬戮。

教唆爭訟（二）

文光讚之父。自少至老。無歲無刑獄事。桁楊桎梏。靡不備受。光讚因詣曇相禪師。叩問是何宿孽。師曰：「汝父前生善寫詞狀。唆人爭訟。故今生受此報。」光讚求師救免。師令其父自着枷杻三日。向佛懺悔。矢心舉行善事。乃稍解。

造端興訟

劉願質病發背。方術不效。醫曰人事盡矣。恐有天殃。質延道士醮禳。是夜夢至一殿下。見王者曰：「汝犯天律。醮禳難免。」質對以無罪。王者曰：「汝於某家造端興訟。以致兩家破壞。」質曰：「是弟顚立非實也。王命吏覆核果然。乃免之。次年顚立死。

巧取民財

晉陵王姓者。以刀筆起家。興訟滅訟。巧取民財。多致破家喪命。晚年子不肖。是非訟獄。歲無虛日。竟致赤貧。而父子俱死。斬焉絕嗣。

誣陷圖詐

相傳某鄉有村翁。其子出外貿易。留媳於家。媳素賢。日以織紝佐炊。翁坐享之。無所事事。每出與村人賭博。負則取償於媳。習以為常。媳亦不較也。一日媳小病。停織。語其翁曰。「我手力所入有限。以資菽水則僅可。以供博負則無餘。翁以後可稍節賭否」。翁默然。是日微雨。飯後攜傘徑出。至夜不歸。媳疑之。既三日不返。媳愈疑慮。乃向鄰里告以故。囑代覓之。值連日陰雨。河流暴漲。有鄰嫗來告媳曰：「頃聞河裏有一浮屍。旁有破傘。曷往驗之。」媳急往視。則六十許老人。形似翁也。乃呼號欲絕。觀者憐之。代爲撈起殯殮。適里中有監生某。虎而冠者也。知媳家固貧。而媳之外家頗殷實。思藉此嚇詐。昌言於衆曰：「此事能不報官而遂了乎。」里中無應之者。某素習刀筆。乃以媳怨言逼翁投水。鳴於官。拘媳嚴訊。媳不慣受刑。遽誣服。案遂定。棄市日。其翁適自外歸。仍攜舊傘沿途聞其媳將以寃死。亟奔法場。已無及矣。遂痛哭赴官自陳。縣乃據實檢舉。而以監生抵罪。縣亦褫職。

博學屢躓

諸生某。豐才博學。屢躓棘闈。某科作背城一戰之計。三藝成。頗自喜。正擊節朗誦。忽一人搴簾問曰：「告字如何寫」。因伸掌索書。

生笑曰：「此字亦忘却耶」遂援筆書其掌仍展卷誦不覺驚叫鄰號聚觀見卷面一大告字墨迹淋漓訊其由則生固以訟師世其家者也

功名被革（一）

餘杭邵孝廉工刀筆族有孀婦富于貲共欲嫁之而分其財謀于孝廉誣以短行孝廉告縣令拘孀婦至限期改嫁孀婦自縊丁未場前孝廉夢告曰：「汝破我之名傷吾之命吾怨不淺但汝中進士爲我建坊旌表吾恨亦釋矣」因以七題告之孝廉不信入場果合悔恨而出復夢婦曰：「頭場文字恐未必中今探表題來刻意作好表猶可中也」孝廉集成好表讀十回終不能記遂置筆管內因被搜出革去舉人

功名被革（二）

清順治時。浙江舉人鄭某慣于詞訟。有友人窺某妻色美。欲計得之。鄭爲劃策。飛語入某之耳。謂其妻有所私也。某因是欲出妻。商于鄭。鄭即作離婚書。既脫稿。某手錄去。適賣筆者至。買毫筆幾管。任手脫稿。捲筆管中。越二年。會試。攜筆進場。忘其稿之在內也。搜者得之。以功令。枷責革去舉人。

惡訟果報（一）

池上草堂筆記載于朱蘭云「訟師未有不遭報者。目擊已三人矣」「一」爲某明經。少聰穎。詩文字俱佳。中年乃弄刀筆。被其害者無以自明。訴之於神。因某案發。爲官所治。瘐死獄中。「二」孝廉某。父子學問俱優。某中南闈。子登北榜。其孫亦英年入泮。人皆以遂大期之詎某以刀筆爲業害人不知凡幾其子泣諫不從未幾子疫死孫繼卒某媳慘夫亡子夭慟於哭泣時必指某而詈之曰「你這老不死作孽多端致我絕嗣」某則呑聲飮泣不能發一語其心之惡慝可知

「二」茂才某無大本領秉性凶殘虐斃一小婢女遍體無完膚經官驗訊傷何如此之多某忽供出不從二字似因逼姦起見官本不願問抵而鬼鬧不休因以不從二字上詳擬絞其實並無逼姦情事其親族所共知乃竟以此論死皆由某祖與父及某三代訟師平日揑情誣人茲乃自誣絞死豈非積惡久而報愈烈乎吾雖能詳其事而不忍舉其名籍願世之訟師及早回頭免似此三人之遭惡報也

惡訟果報（二）

清順治十六年。績溪縣令李之韡以公事至江寧與陳經歷同寓。一日陳入浴。李窺見其下體有鱗甲。異而問之。陳曰：「此吾前世事也。轉生之時。冥王囑我宣言以爲世勸。故不敢隱瞞。憶吾前身乃一庠生。亦姓陳。家貧與人作狀取利。枉害人多。中年暴亡。被拘至冥。冥王怒曰：「汝命該由貢生授爲經歷。因爲惡削去。所作諸惡。今當受報」（陽網雖漏。陰網難逃。）命押入地獄。照罪加刑。慘苦已極。月後方判入畜道。（畜生本是人來做。人畜轉迴古到今。不要披毛并帶角。勸君休使畜生心。）帶至轉輪司。頃刻如旋風飄蕩。莫知所止。風定時。聞耳旁有豬聲。開目視之。已變爲豬矣。年餘宰殺。熱血澆心。痛不可當。一魂赴陰司。哀求人身。王叱曰：「汝罪有七劫畜牲之苦。何得就轉人身」又命推赴轉輪司。其狀如前。移時開目。則變爲蛇矣。老蛇在傍。啣死鼠飼我。我不肯食。飢莫能忍。試食之。味甚甘。因亦食焉。久則老蛇不知所在。吾漸長大。自思。受報若此。何敢再傷物命。藏匿洞中。惟飲清泉而已。猶憶爲秀才時。聞人傳言。謂念阿彌陀佛。可以懺罪。於是勤念佛號三年。苦無了期。因自尋死。見推車人來。吾卽橫攔於道。被車一碾兩截。言言金針。句句血淚。人身難得。於此益見。魂赴陰司。哀求人身。冥王方笑曰「汝爲蛇猶知念佛。苦海無邊回頭是岸。孰覓慈航靈臺一點。可消罪愆。今不但還爾人身。且還爾官職。轉生之後。將此因果說與人間。方知儆懼。乃命鬼卒與吾脫去蛇皮。自首剝至腰間。吾痛甚。擺動。鬼卒不喜。下截尚未脫完。留此形跡。以醉來茲。卽發往轉輪司。余昏迷不知。少頃聞人笑語曰：「好好是個男兒」。吾驚覺。始知得復人身。一失足時千古恨。再來人世百年身。心甚喜。周歲後吾母以肉飼我。輒吐去。自小持齋。蓋欲報佛解脫之恩也。七歲後吾父敎吾讀。書喜吾前生之業。尚能記誦。十七歲入泮。三十六歲出貢。後赴朝考。得授斯職。今年四十五矣。回思往事。夢寐驚異。嗟乎。天下受虧最慘者。只有惡人。不信因果。死後方知其難。可勝悲哉。今雖居官。分毫不敢苟且也。」

訟師失妻

昔有一善訟者。爲人畫策。誣富民誘藏其妻。富民幾破家。案尚未結。而善訟者之妻。眞爲人所誘逃。不得主名。竟無所用其訟。

另售模範人生觀巧談每冊各一角婦女故事家庭美德孝史官吏良鑑法曹圭臬民間懿行軍人道德

海門陳鏡伊先生編

道德叢書

●耗費十年心血● ●修齊治平之道●
●成此一部叢書● ●包羅其中無遺●
●全部共計千數百頁並有王一亭先生字畫數十面●

模範人生觀 勵學篇 交友篇 立志篇 居鄉篇 勤儉篇 退食篇 事師篇 酒色篇 同學篇

婦女故事 賢母類 節婦類 賢婦類 孝女類 孝婦類 慈婦類

家庭美德 夫婦篇 叔姪篇 父子篇 宗族篇 兄弟篇

孝史 尋親篇 葬親篇 救親篇 孝感篇 諫親篇 思親篇 侍疾篇

官吏良鑑 清廉類 進諫官 循良類 財務官 忠直類 考試官 仁慈類 外交官 奸邪類

法曹圭臬 審做官 獄官 執法篇 律師

民間懿行 士篇 商篇 農篇 醫篇 工篇 雜篇

軍人道德 忠勇類 中興類 仁德類 殘暴類 謀勇類 奸貪類

考試佳話 上編三十五案 中編十二案 下編四十案

巧談 上編四十三案 下編六十八案

人獸之變 上編報冤動物六十五案 下編人變動物六十四案

命相眞評 星卜篇 變態篇 改過篇 定數篇

富室珍言 上編善例五十九案 下編惡例二十三案

冤孽 訴冤篇 投生篇 悶怨篇 報仇篇 風水篇 現形篇 心鬼篇 索命篇

●全部十四冊加贈發源一紙精美書匣一只定價一元郵費角

發行所

上海霞飛路嵩山路口三層樓洋房道德書

【電話八二七七四號】

考試佳話人獸之變命相眞評富室珍言冤孽每冊八分以上同樣購滿五冊

國家圖書館出版品預行編目資料

法曹圭臬／（清）陳鏡伊編
-- 初版 .-- 臺北市：
世界，2015.08
面；公分．　--（道德叢書；6）

ISBN　978-957-06-0532-7（平裝）
1. 道德　2. 通俗作品

199.08　　　　104014594

世界書號：A610-2164

道德叢書之六
法曹圭臬

作者／（清）陳鏡伊編
發行人／閻初
發行者／世界書局股份有限公司
登記證／行政院新聞局局版臺業字第〇九三一號
地址／臺北市重慶南路一段九十九號
電話／（〇二）二三三一一一三八三四
傳真／（〇二）二三三一一七九六三
網址／www.worldbook.com.tw
劃撥帳號／〇〇〇五八四三七　世界書局
出版日期／二〇一五年八月初版一刷
定價／台幣一六〇元
道德叢書全套十四冊，定價二四〇〇元